¡Toma la Palabra!

ENLAZANDO *la* ORALIDAD *y la* LECTOESCRITURA

por
MÓNICA LARA

Publicado por Seidlitz Education
P.O. Box 166827
Irving, TX 75016
www.seidlitzeducation.com

Para obtener otros títulos relacionados u otro material de apoyo, visitar
www.seidlitzeducation.com

8.19

índice general

PRIMERA PARTE 17

Los elementos que se destacan en un aula bilingüe de alta calidad.

Las BASES del aula bilingüe/dual

SEGUNDA PARTE 46

Desarrollo intencional de la oralidad y la lectoescritura.

Los siete pasos.

TERCERA PARTE

Recursos esenciales para complementar la instrucción.

Agradecimiento

Este libro está dedicado a todos los maestros y maestras bilingües que están en las aulas, especialmente a aquellos y aquellas con los que he trabajado y con los que me he tropezado durante más de 25 años. Docentes bilingües que, como yo, vinieron de otras tierras y aprendieron inglés "a chaleco" (por fuerza) y que, por necesidad, lo adquirieron como una segunda lengua.

También se lo dedico a aquellos docentes que crecieron en territorio estadounidense y a quienes se les negó la educación bilingüe o que, por azares del destino, fueron despojados del español o se vieron forzados a limitar su uso y han tenido que luchar para mantenerlo, aun cuando el inglés se haya convertido en su lengua dominante.

Asimismo, este libro es para todos los docentes que, como yo, han entendido lo que es tener un cerebro bilingüe y funcionar en dos contextos y que, por ende, han aprendido a hacer *"translanguaging"* porque a veces, no solo nos comunicamos en inglés o en español, sino que *sometimes* usamos *both*.

Un agradecimiento especial va a los docentes bilingües de Clint ISD en El Paso, TX., con los que he trabajado en los últimos meses y quienes me han inspirado profundamente.

Gracias también a los administradores y docentes de la escuela primaria Leon Valley de Northside ISD en San Antonio, TX., por sus valiosas contribuciones.

Agradezco a todo mi equipo de trabajo en Seidlitz Education, especialmente a John, gran líder y visionario. Aunque trabajamos a distancia, mantenemos un sistema de apoyo y comunicación muy estrecho.

A mi editora, Elsie Timoskevich, por dedicar tantas horas de trabajo para mejorar el texto y a mi diseñadora gráfica Anne-Charlotte Patterson, por plasmar su toque mágico en las páginas del libro.

También se lo dedico a mi compañero incansable o "asistente personal" Don Dalton, por seguirme a donde vaya y por apoyarme siempre.

A mis hijos Mona, Meli y Benji quienes fueron los primeros en enseñarme cómo funciona eso del "*translanguaging*".

A mis ocho nietos Bela, Erik, Tyler, Kyle, Sarah y muy en especial a mis nietos bilingües Lucy, Liam y Gianluca quienes siguen enseñándole a su "Güita" al ir desarrollando su habilidad para comunicarse en dos idiomas.

A mis padres por creer siempre en mi trabajo.

A grandes investigadores como Kathy Escamilla y todo el equipo de *Lectoescritura al cuadrado (Literacy Squared)* por sus investigaciones tan acertadas, las cuales en gran parte, han influenciado mi trabajo.

A mi mentor, Howard L. Smith, por sus enseñanzas e inspiración.

Y finalmente, le agradezco a Dios por darme la oportunidad de amar mi trabajo y por permitirme enriquecer mi vida al conocer maestras y maestros incansables que, con su esfuerzo y dedicación, mejoran la calidad de vida de nuestros estudiantes bilingües abriéndoles un camino al éxito.

Mónica Lara

Prólogo

Hasta hoy en día, las casas editoriales han escrito, publicado y difundido por todos los Estados Unidos un sinfín de libros de texto, manuales y guías para el docente a cargo del salón bilingüe. La gran mayoría de esas publicaciones no solo están enfocadas en la adquisición del idioma inglés, sino que se editan exclusivamente en ese idioma, a pesar del objetivo planteado por el mismo libro, es decir, el bilingüismo.

Se señala esta anomalía al lector, no por criticar ni menos desvalorizar la lengua anglosajona, sino por ponerle al tanto de la escasez de material publicado en los EE.UU. con fines de enriquecer el manejo del español en los programas bilingües. Este texto, escrito por Mónica Lara, es una aportación imprescindible al arsenal de conocimientos del docente encargado del salón bilingüe español-inglés en este país. En estas páginas, se encontrará una abundancia de métodos, acercamientos y estrategias para mejorar el manejo del español en el salón de clase bilingüe.

Aunque son muchos los alumnos de hogares hispanoparlantes, hay una escasez de maestros cabalmente capacitados en dos idiomas para el aula bilingüe/dual. El magisterio bilingüe en los EE.UU. está integrado, en su mayoría, por gente que nunca tuvo la oportunidad de estudiar el español en forma paulatina o sistemática (salvo los maestros provenientes de lugares donde se practica la diglosia, ej. Puerto Rico, Nicaragua). Inclusive los departamentos de pedagogía bilingüe carecen de muchas clases universitarias para capacitar, *lingüísticamente*, al neófito.

Un sinnúmero de docentes relata los impedimentos para mantener cualquier vestigio del castellano durante sus propios años escolares. El español, su idioma materno, fue criticado, marginado y por último, reemplazado por el inglés como idioma dominante. Mantuvieron sus conocimientos y habilidades en español a pesar de la escolaridad y no gracias a ella. Por lo tanto, en muchos casos, el español de los maestros bilingües es producto del ámbito familiar, diálogo social o de intercambios no técnicos. Entre los latinos en los EE.UU., hasta la gente más preparada, suele escuchar a personas que se afligen de sentir vergüenza por su manejo del español. Aun siendo un medio de comunicación verdadero, y muy respetable, el español "casero" es un sistema de comunicación intercalado por idiosincrasias, arcaísmos, préstamos lingüísticos, y sobre todo, un sinfín de enigmas.

Mónica Lara, con este tomo, se encarga de las incógnitas lingüísticas que enfrentan los docentes bilingües diariamente en sus salones. La autora establece un marco conceptual para orientar y apoyar a todo aquel que desea superarse en el idioma español. Aclara las reglas o normas lingüísticas que abruman y hasta agobian al docente bilingüe en el momento de enseñar.

Más que teoría, su libro presenta un compendio de actividades y estrategias basadas en teorías que han sido utilizadas con éxito por miles de maestros bilingües en docenas de distritos escolares. Cada una de las estrategias refuerzan la enseñanza en el programa bilingüe. Su meta mayor es la de apoyar e incrementar el desarrollo lingüístico de los docentes y los educandos bilingües.

Para el docente bilingüe con un menor dominio del español, este libro sirve de introducción y explicación de los puntos más necesarios para comunicarse bien en español. Para el docente bilingüe con un dominio más sofisticado, el libro ofrece la oportunidad de aprender nuevas técnicas de enseñanza en los dos idiomas. De esta manera, el libro ¡Toma la palabra! le ofrece al lector de cualquier circunstancia lingüística un recurso de apoyo en el salón bilingüe.

No dudo que será de su completo agrado. Ya no tiene por qué zafarse de su idioma materno.

Howard L. Smith

Introducción

Los talleres o cursos de capacitación ofrecidos a los docentes en aulas bilingües/duales son primordialmente impartidos en inglés con la expectativa de que los docentes traduzcan o practiquen el español académico en su tiempo libre al preparar sus lecciones diarias en español. La realidad es que ese tiempo libre existe solo en teoría, ya que el trabajo del docente bilingüe es extremadamente demandante al considerar el reto de enseñar conceptos académicos junto con conceptos lingüísticos en dos idiomas.

Este libro ha sido escrito considerando a los maestros y maestras bilingües que se encuentran en las aulas bilingües/duales y que trabajan con estudiantes bilingües emergentes. Su intención es ofrecer al docente información, estrategias y actividades en español para el desarrollo de la oralidad y la lectoescritura en el aula bilingüe/dual. Contiene explicaciones breves sobre la instrucción con actividades útiles y teoría relacionada a temas que aclaran lo que debe suceder en el aula.

> estudiantes bilingües emergentes = emergent bilinguals

A través de mi formación profesional he adquirido información importante que imparto en mis cursos y pláticas con docentes. He transmitido mucha de esta información utilizando historias breves o dando explicaciones precisas, algunas de las cuales se encuentran en este texto.

PROPÓSITOS DE ESTE TEXTO

Primero, este texto, más que una traducción de términos al español, considera las exigencias y necesidades del idioma español con todos sus contornos y posibilidades para la enseñanza. Y segundo, clarifica y desenreda de forma narrativa, la aplicación de conceptos en el salón bilingüe/dual. De igual manera, intenta proveer información sin utilizar nomenclatura difícil de entender.

Al reconocer que nuestro entorno lingüístico es anglófono, algunos términos incluyen su equivalente en inglés para dar a los lectores una definición clara de su uso y para ligarlos rápidamente con expresiones comúnmente utilizadas en aulas de educación general.

ESTRUCTURA DEL LIBRO

El libro consiste de tres secciones o partes principales.

La primera parte presenta los elementos que se destacan en un aula bilingüe de alta calidad. Esto se enfatiza a través de las BASES incluyendo los fundamentos primordiales del marco conceptual del libro:

- **Buscar** mi propio valor
- **Aprovechar** el español
- **Sembrar** orgullo en mis estudiantes
- **Enfatizar** la conciencia metalingüística
- **Sustentar** la oralidad

Se exploran la importancia de las habilidades que posee el docente y el valor de su vocación como maestro bilingüe al encaminar a sus educandos. A la vez, se identifican la oralidad y el diálogo como procesos fundamentales que sirven de enlace con la lectoescritura. Por ende, se discute el papel transcendental del conocimiento previo y se ofrecen ideas para desarrollarlo, especialmente cuando se trata del capital de lenguaje que nuestros estudiantes bilingües emergentes ya poseen en español.

Cada una de estas secciones inicia con *¿Qué opinas?* Es recomendable escribir lo que creemos acerca de estos temas como punto de partida, ya sea en un diario o entablando una conversación con otros colegas. Después se recomienda leer el texto y finalizar la sección utilizando los fragmentos en la parte de *Mi reflexión* para repasar lo aprendido o recordado, una vez más, escribiendo la reflexión en un diario o conversando con otros.

La segunda parte desglosa los *7 Pasos para crear un aula interactiva:*

- **Paso 1** Usar opciones en lugar de *"No sé"*
- **Paso 2** Hablar en oraciones completas
- **Paso 3** Participar en forma rotativa y aleatoria
- **Paso 4** Usar señalizaciones
- **Paso 5** Usar vocabulario y materiales visuales específicos con los objetivos
- **Paso 6** Participar en discusiones responsables y estructuradas
- **Paso 7** Participar en actividades estructuradas de lectura y escritura

Se explora, no solo la manera de incorporar la participación total de los estudiantes, sino cómo se los involucra de una manera de bajo riesgo, utilizando señalizaciones y materiales visuales al igual que el uso de actividades estructuradas de lectura y escritura.

Cada uno de los siete pasos ejemplifica teorías, ejemplos ilustrativos de cómo llevarlos a cabo al igual que múltiples actividades como el uso de *fragmentos de oraciones*, la utilización de cognados y la fórmula para escribir objetivos académicos y de lenguaje por mencionar algunos.

La tercera parte ofrece recursos adicionales que incluyen:

- Planes **para lecciones** en el aula bilingüe/dual
- **Ortografía** básica
- Uso de **cognados** – ejemplos y comparaciones entre el español y el inglés
- **Fragmentos**
- Lista de **morfemas** latinos y griegos
- **Organizadores gráficos**

Estos recursos adicionales que están al alcance de la mano, sirven como herramientas para que el docente tenga acceso a ellos y se le facilite la consulta rápida cuando lo requiera, ya sea al preparar sus lecciones o de manera inesperada durante la instrucción.

Es recomendable que los recursos adicionales sean utilizados conjuntamente con las actividades de los *Siete Pasos* (como se indica en cada sección) o también para repasar conceptos anteriormente aprendidos, pero posiblemente olvidados que requieren un poco de repaso (por ej.: ortografía básica, reglas de acentuación, etc.).

POEMA

Dos idiomas, un solo corazón

por Hildelisa Díaz

Como semilla en tierra fértil,
creció en mí.
Dos idiomas, dos culturas
y con ellas el camino recorrí.

Con mi abuela gratos recuerdos,
risas y juegos con frenesí.
With my lovely mama,
hugs and kisses for me!

En mi pintoresca aula,
celebro amigos que conocí.
Noiseless library, timeless for me,
whisper of dear places, I wish.

Tengo dos llaves y un rumbo,
se abren dos puertas y un mundo.
¡De cultura y tradición es mi don,
con dos idiomas y un solo corazón!

Primera parte

Las BASES del aula bilingüe/dual

Buscar mi propio valor;

Aprovechar el español;

Sembrar orgullo en mis estudiantes;

Enfatizar la conciencia metalingüística; y,

Sustentar la oralidad

Buscar mi valor

¿Qué opinas?

· ¿Cuáles son mi creencia y postura hacia el programa bilingüe/dual?

· ¿Soy una influencia positiva para mis estudiantes?

· ¿Creo fielmente en todos mis estudiantes con mi actitud de – SÍ SE PUEDE?

· ¿Valoro el uso del español tanto como el del inglés y me preparo con empeño para demostrarlo?

BUSCAR MI PROPIO VALOR significa tomar la palabra y empezar a hablar. El título de este libro, ¡Toma la palabra!, fue seleccionado no por casualidad ni porque suena bien, sino por su significado. ¡Ya es hora de que empecemos a hablar! Como docentes bilingües, hay que empezar a buscar nuestro valor y hablar para expresar lo que sabemos. Hay que empezar a hablar no solo para preguntar y discutir, sino para exponer ideas y para votar a favor de una instrucción justa y equitativa en el aula bilingüe/dual. De igual manera, hay que hablar para agradecer. Con la palabra se agradece la oportunidad de estar en un puesto tan importante, ser docente bilingüe, e impactar a tantos niños y niñas con quienes nos encontramos día a día. Es importante dar el primer paso, retomando nuestro valor y nuestra propia voz al decir…

1. Lo que sé es importante;

2. Lo que enseño es importante;

3. Tengo lo necesario para el éxito; y,

4. No me daré por vencida/o.

Buscar mi propio valor también significa tener una imagen sólida de mi potencial como docente y de cómo mis reacciones y actitudes recaen sobre mis estudiantes. Mis creencias personales y postura hacia ellos y hacia el programa bilingüe/dual afectan de manera inmediata el aprendizaje de los estudiantes, el orgullo que sienten al ser bilingües, la importancia de ser bilingüe, así como también su productividad y rendimiento académicos. En la segunda parte de este libro (7 Pasos), se encuentra información que le ayuda al docente a consolidar las prácticas en el aula y a conectarse con las experiencias adquiridas durante su desarrollo profesional como maestro o maestra bilingüe.

Durante más de veinticinco años he trabajado con docentes bilingües. Me alegro cuando me encuentro con docentes que todavía confían en los beneficios del programa bilingüe. Aquellos que no creen que hablar solamente inglés es más importante que ser bilingüe. Es impresionante su afán lingüístico, sobre todo, cuando el programa adoptado por la escuela es un programa de transición a corto o largo plazo y no un programa de inmersión dual.

TIPOS DE PROGRAMAS (MODELOS) PARA EL SALÓN BILINGÜE

Existe una gran variedad de programas bilingües. Sin embargo, solo se pueden señalar 2 puntos en común entre todos; 1) un grupo de alumnos recibe instrucción en inglés (del 0,05 % hasta el 100%), y 2) se usa un idioma minoritario en el salón de clase y por eso existe gran diferencia entre las metas y los diseños de los programas. Este recuadro presenta las formas más comunes de los programas bilingües en los Estados Unidos.

En general los programas transicionales tienen las siguientes características:

PROGRAMA TRANSICIONAL
a corto plazo – de dos a cinco años
(Transition Bilingual Early Exit)

- La instrucción en las áreas académicas y en lectoescritura se imparten en el primer idioma del estudiante;

- Se enfatiza el desarrollo del lenguaje oral y académico en inglés; y,

- Con el tiempo, la instrucción pasa a ser únicamente en inglés, limitando o anulando el uso del primer idioma.

PROGRAMA TRANSICIONAL
de seis a siete años
(Transition Bilingual Late Exit)

- La instrucción se imparte en el primer idioma y en inglés, enfatizando el rigor durante el trabajo académico en el aula;

- Se esperan niveles altos de rendimiento académico al igual que la habilidad en el uso de ambos idiomas; y,

- Con el tiempo, la instrucción pasa a ser únicamente en inglés, limitando o anulando el uso del primer idioma.

PROGRAMA DE INMERSIÓN DUAL
con aprendientes de inglés – de seis a siete años (Dual Language One-Way)

- El modelo de instrucción integra el primer idioma del estudiante y el desarrollo académico;

- Las materias académicas se imparten en ambos idiomas (el primer idioma de los estudiantes e inglés);

- Se esperan niveles altos de rendimiento en las áreas de bilingüismo y lecto-escritura y se enfatiza la conciencia bicultural; y,

- Con el tiempo, la instrucción pasa a ser únicamente en inglés. Sobre todo, si el programa no se mantiene en la escuela secundaria.

PROGRAMA DE INMERSIÓN DUAL
con aprendientes de inglés y aprendientes de español (en la mayoría de los casos) – de seis a siete años
(Dual Language Two-Way)

- El modelo de instrucción integra el desarrollo del lenguaje y el desarrollo académico para aprendientes de inglés y aprendientes de español;

- Las materias académicas se imparten en ambos idiomas (el primer idioma del estudiante e inglés);

- Se esperan niveles altos de rendimiento en las áreas de bilingüismo y lectoescritura, se enfatiza la conciencia bicultural; y,

- Con el tiempo, la instrucción pasa a ser únicamente en inglés. Sobre todo, si el programa no se mantiene en la escuela secundaria.

Al repasar el recuadro, uno se da cuenta de la importancia de LOS DOS idiomas en el salón bilingüe. Como docentes en programas bilingües, nos tenemos que preparar no solo para desarrollar al máximo las habilidades en inglés, sino que, a la vez, tenemos que elevar los conocimientos del español en el educando. A pesar del incremento de programas duales engendrados en las comunidades angloparlantes, no debemos olvidarnos de que todos estos programas bilingües fueron primeramente establecidos para el beneficio de los *aprendientes de inglés* (ELLs). Hay que continuar enfatizando las altas expectativas para todos, sin importar el conocimiento previo lingüístico o académico que posean.

Al establecer una meta clara y rigurosa, uno convierte el programa bilingüe en un espacio no para remediar "defectos lingüísticos", sino para aprovechar el capital del lenguaje existente en el estudiante bilingüe. En lugar de hacerlo sentir que se encuentra en una especie de "purgatorio" o "baja clasificación" de la cual saldrá cuando pague sus deudas o mejore. **Que el docente use la lengua materna de sus alumnos demuestra lo contrario. Al ejemplificarlo, practicarlo con ellos y usarlo en el salón en forma oficial, no solo se enaltece el idioma, sino que también se enaltece al alumno y a su comunidad.** El esfuerzo del docente por aprender y mejorar en español les transmite a los estudiantes el orgullo de ser bilingües.

Mi reflexión

· Para mí, el programa bilingüe/dual significa...

· En mis años de experiencia como docente bilingüe he tenido una actitud positiva/negativa acerca del programa bilingüe porque...

· Ser bilingüe es importante porque...

· En mi experiencia, los docentes bilingües nos preparamos para ser modelos del uso del español, pero también necesitamos...

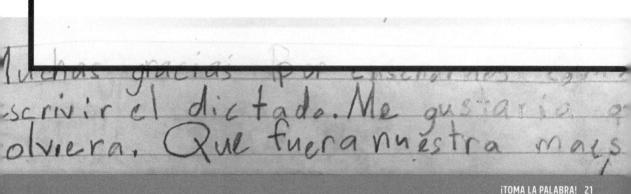

Aprovechar el español

¿Qué opinas?

- ¿Es importante impartir la instrucción utilizando el primer idioma del estudiante?

- ¿Se tiene que retrasar la enseñanza de la segunda lengua hasta que el estudiante haya consolidado la primera?

- ¿Qué diferencias de lenguaje se pueden notar en el patio de recreo, en la oficina de la directora o en el salón de clase?

- ¿Cómo se distinguen las diferencias entre estos varios registros? ¿Cuál de estos representa un "registro académico"?

COMO YA SE MENCIONÓ en la sección anterior, aprovechar el español en el aula bilingüe y dual significa no solamente usarlo a diario, sino elevar su estatus y enfatizar las ventajas de los aprendientes de inglés al mantenerlo como algo de valor, mientras los aprendientes de español lo adquieren como su segunda lengua al aceptar los beneficios del bilingüismo. De acuerdo con estudios realizados, los niños poseen la capacidad de aprender más de una lengua de manera simultánea o un idioma después de otro con gran éxito. Así mismo, la enseñanza de la lengua materna no limita la capacidad de aprender otra, sino que contribuye a su aprendizaje. Según muchos investigadores (por ej., Goldenberg 2013; Bialystok 2016), el uso del primer idioma trae beneficios no solo cognitivos, sino también sociales.

aprendientes de inglés = ELLs

Baker (2011) menciona ocho ventajas que existen al participar en programas de educación bilingüe. Aprender dos idiomas

1. amplía la comunicación entre generaciones, regiones y grupos culturales;

2. desarrolla la sensibilidad mediante la interacción con diferentes culturas;

3. amplía la habilidad de leer y escribir, y ayuda a desarrollar el pensamiento crítico ampliando los puntos de vista y llevando al estudiante a un entendimiento mayor acerca de su historia y su herencia;

4. incrementa el éxito académico mediante el aprendizaje en dos idiomas;

5. ayuda a compartir conocimientos con otros;

6. incrementa la autoestima de estudiantes de grupos minoritarios;

7. establece una identidad definida en todos los niveles (escuela, familia, trabajo); y

8. hace que los estudiantes puedan obtener un mejor empleo en el futuro.

Según los expertos, es necesario mejorar los programas bilingües e involucrar al estudiante (Escamilla, 2010). Las mejoras incluyen:

- No asumir que las técnicas desarrolladas para salones monolingües de inglés sirven para salones bilingües simplemente porque han sido directamente traducidas al español;

- Se debe ofrecer diariamente instrucción de vocabulario cabalmente planeada durante cada lección, tomando en cuenta las necesidades del estudiante;

- Hacer uso de las tradiciones orales e insistir en el diálogo diario, poniendo en práctica estructuras gramaticales que enriquezcan la producción oral del educando;

- Enfocarse en las artes de lenguaje en español y ofrecer adaptaciones lingüísticas durante el aprendizaje del inglés (Spanish Language Arts – SLA/ English Language Arts – ELA) al igual que en las otras áreas académicas; y

- Analizar el texto y los materiales haciendo hincapié en el contenido cultural y el conocimiento previo de los estudiantes.

Un buen programa bilingüe incluye no solo instrucción académica en español, sino también instrucción diaria estructurada para el desarrollo de lenguaje en inglés (English Language Development o ELD), o durante la instrucción en las áreas académicas, utilizando adaptaciones lingüísticas en inglés (Wright, 2016). Esto significa, además, que una buena instrucción de ELD, intenta incrementar las habilidades de lenguaje en los aprendientes de inglés y se incluye de manera intencional la instrucción explícita del vocabulario y las estructuras gramaticales del idioma.

UN POCO MÁS ACERCA DE LAS ESTRUCTURAS GRAMATICALES

Tradicionalmente, y durante la instrucción diaria en el aula, se utilizan los estándares académicos estatales (es decir, los TEKS, Common Core, etc.) para el enfoque de cada materia. Además, es necesario incorporar el diálogo durante la instrucción académica, con el fin de expandir los conceptos académicos adquiridos. Para la integración de las cuatro modalidades de lenguaje (hablar, escuchar, leer y escribir) se utilizan los estándares de lenguaje estatales (ELPS, WIDA, etc.).

Para mejorar el aspecto lingüístico (por ej.: estructuras, vocabulario, gramática) en cada lección, es importante enfatizar la forma y la función del lenguaje que el estudiante va a utilizar con el fin de poder explicar y compartir con otros su aprendizaje. La forma y función del lenguaje se pueden definir de la siguiente manera:

FORMA – Estructuras gramaticales de oraciones y palabras:

- Yo opino…

- En resumen…

- Los pasos a seguir son: primero _____, después _____ y finalmente…, etc.

FUNCIÓN – El propósito o proceso

- Evaluar

- Resumir

- Explicar el proceso, etc.

FUNCIÓN	DEFINICIÓN	FORMA
Definir	¿Qué significa?	_____ es/significa… _____ consiste en…
Describir	Descomponer sus partes	Las características principales son…
Explicar	Hacerlo inteligible	La razón por la cual… El evento ocurrió porque…
Argumentar	Presentar una opinión	Las razones que permiten explicar…
Analizar	Partes de un tema	El periodo/suceso consiste en…
Comparar	Relación entre dos o más objetos	_____ se asemeja/coinciden en… _____ se diferencian de…
Desarrollar	Expandir el poder informativo	El tema se desarrolla… _____ incluye lo siguiente…

En el siguiente recuadro, se pueden observar ejemplos de diferentes **funciones** del lenguaje. La **forma** se adapta según el nivel que tengan los estudiantes ya sea en inglés o en español.

A	B	C	D
Escribir una lista del supermercado (enumerar)	Llamar por teléfono a un amigo (comunicarse informalmente)	Llamar para concertar una cita con el médico (pedir información)	Llamar a la enfermera de la escuela (pedir información)
Escribir un mensaje de texto (escribir un mensaje con acrónimos y emoticonos)	Charlar acerca de un deporte con amigos (hablar informalmente con gestos y ademanes)	Ir a una entrevista de trabajo (comunicarse, formalmente)	Explicar cómo sucedió un accidente al ajustador de seguros (explicar un evento con descripciones)
Ordenar comida en un restaurante de comida rápida (usar palabras aisladas con gestos o ademanes y objetos visuales)	Contar un chiste a amigos (experiencias o perspectivas compartidas)	Explicar un procedimiento de matemáticas (explicar pasos a seguir)	Escribir una receta (describir un proceso)

Las opciones en las columnas A y B, son funciones que requieren respuestas de menos rigor, es decir, el vocabulario o lenguaje es de uso diario y el contexto es más simple.

- Escribir un mensaje de texto:
  salu2 a todos y japiverdei2u
- Ordenar en un restaurante de comida rápida:
  #2 extra grande porfa

Por el contrario, las opciones en las columnas C y D, requieren el uso de un registro más formal y académico, el cual exige vocabulario específico.

- Llamar para concertar una cita con el médico:
  Buenas tardes, quisiera concertar una cita para el _____ de la próxima semana con el doctor _____.

- Explicar un procedimiento de matemáticas:
  El primer paso que utilicé para resolver la ecuación fue... Después, para encontrar el valor desconocido de la _____ fue necesario... Finalmente, pude encontrar la respuesta correcta...

En la segunda parte de este libro *(7 Pasos)* pueden encontrarse actividades que amplían esta sección. También en la sección *Recursos adicionales*, pueden encontrarse ejemplos de una lista de fragmentos de preguntas y enunciados con diferentes tipos de pensamiento. Estos incluyen vocabulario, causa y efecto, comparación, evidencia, resumen, predicción, interpretación y evaluación que bien pueden ser utilizados durante la práctica de la oralidad.

Mi reflexión

- Utilizar el primer idioma durante la instrucción es importante porque...
- En mi experiencia, retrasar la enseñanza de la segunda lengua hasta que el estudiante haya consolidado la primera es...
- Las funciones de lenguaje que requieren respuestas usando lenguaje formal son aquellas que...
- Según el grado escolar en el que se encuentra el estudiante, el modo en que responden demuestra...

Sembrar orgullo en mis estudiantes

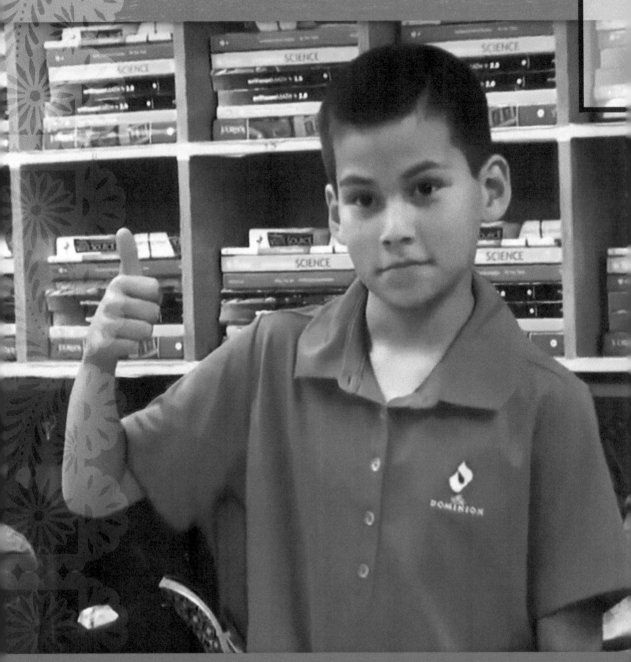

¿Qué opinas?

· En la enseñanza a un estudiante bilingüe emergente, ¿cuál es la diferencia entre un punto de vista de "déficit" y un punto de vista "aditivo"?

· ¿De qué manera existe aún una mentalidad de déficit?

· ¿Cuál es la importancia de considerar el rendimiento del alumno en los dos idiomas y no solamente su rendimiento en inglés?

· ¿Cómo se puede utilizar esta información para apoyar al alumno en el aula?

Sembrar orgullo en mis estudiantes se convierte en vocación. Si logramos una percepción positiva como docentes bilingües, podemos ver a nuestros estudiantes como personas exitosas y además sembrar orgullo en ellos. El título de este libro ¡Toma la palabra! fue seleccionado también para ellos. Es importante que sepan que en nuestras aulas no solo se puede, sino que se espera que pregunten, discutan, expongan ideas, respondan, den sus opiniones y que también agradezcan ser estudiantes bilingües porque…

1. ¡Son importantes!
2. Lo que aprenden ¡es importante!
3. ¡Lo pueden lograr!
4. ¡Nunca los abandonaremos!

¿VALORIZACIÓN O DÉFICIT?

Cambiar las percepciones de otros es difícil, pero no imposible. Oímos decir con frecuencia:

· *Esos estudiantes en el programa bilingüe no tienen lenguaje.*

· *Esos estudiantes no hablan bien ni inglés ni español.*

· *Esos estudiantes son inmigrantes mexicanos.*

Hay una tendencia a generalizar y/o a etiquetar a todos bajo un mismo grupo. De acuerdo con Myers-Scotton (2006), a los norteamericanos que únicamente hablan inglés se les hace difícil entender en qué consiste otro idioma o cómo es posible que alguien pueda manejar dos idiomas. De igual manera, esta investigadora asegura que aunque pocas personas bilingües desarrollan las mismas habilidades en dos o más idiomas, posiblemente porque no los usan con la misma frecuencia o porque no los usan en varios contextos, de todos modos se consideran personas bilingües.

Otro dato curioso es que no todos los hispanohablantes que viven en los Estados Unidos vienen de otros países, sino que muchos nacieron en nuestra comunidad y vienen de familias diversas con múltiples costumbres, y además utilizan una gama de variaciones lingüísticas. Algunos tienen raíces en países que se encuentran en el Caribe, Centroamérica, Sudamérica e inclusive en países europeos.

En los últimos años, los aprendientes de inglés se denominan como estudiantes bilingües emergentes y poseen varias características en común (García & Kleifgen, 2010):

- La mayoría son latinos que hablan español (75-80%);
- La mayoría vive en hogares en donde ningún miembro de la familia mayor de 14 años habla inglés (80%);
- La mitad de estos estudiantes nació en los Estados Unidos;
- Existe gran escasez de programas de educación temprana o preescolar y muy pocos se matriculan para asistir a estos programas antes de entrar a kindergarten.

Es muy importante entender que los hechos se pueden interpretar de varias maneras. En la parte que sigue, se explican con mayor detalle los puntos mencionados con el fin de valorar y apoyar a estudiantes bilingües.

La mayoría son latinos que hablan español (75-80%).

Por esto, se puede entender por qué hay tanto énfasis en el alumnado latino. Ellos representan la mayoría de los alumnos que requieren de la educación bilingüe. Aunque existen docenas de grupos lingüísticos en nuestras escuelas (por ej.: árabe, bantú, chino, coreano) si no podemos atender a las necesidades del mayor grupo de aprendientes de inglés, es poco probable que podamos ayudar a los otros grupos lingüísticos de menor número.

La mitad de estos estudiantes (hispanos) nacieron en los Estados Unidos

Esta afirmación, se nos recuerda que los servicios de escolaridad, o sea, de un programa bilingüe, son un derecho que existe para el estudiante NO inmigrante/ nacido aquí, en el 50% de los casos. Visto así, el programa bilingüe no es una "prestación indebida para los que no vienen de otros países", sino un servicio escolar para quien lo necesite en el distrito. Claro, hay distritos escolares en donde el número de inmigrantes supera el 50%. Sin embargo, las estadísticas

demográficas nacionales indican que la mitad del alumnado en programas bilingües nació en los Estados Unidos.

La mayoría vive en hogares en donde ningún miembro de la familia mayor de 14 años habla inglés (80%)

Esta cifra indica un posible quebrantamiento entre las generaciones, por ejemplo de padre a hijo; de abuela a nieta. Esto sucede cuando el programa bilingüe no solo favorece, sino que magnifica la importancia de ser monolingüe en inglés. En tales situaciones, el idioma dominante perjudica la comunicación de la sabiduría y experiencia de los familiares mayores a la nueva generación, que de este modo se pierde.

Existe gran escasez de programas de educación temprana o preescolar y muy pocos se matriculan para asistir a estos programas antes de entrar a kindergarten.

A veces, cuando nos llegan a la escuela niños con un comportamiento no muy acorde con el ambiente escolar, es fácil acusar al niño de no ser inteligente o hasta de ser ingobernable. Este hallazgo nos hace entender que muchos padres acuden a los abuelos u otros familiares para su cuidado, que no necesariamente utilizan estructuras similares a las del aula. Y esto, al ser entendido por el docente, le recuerda la importancia de ser paciente y preparar intencionalmente al alumno para que cumpla con las expectativas de comportamiento en la escuela.

LA NATURALEZA DE SER BILINGÜE

Existen dos tipos de estudiantes bilingües emergentes: estudiantes bilingües emergentes simultáneos y estudiantes bilingües emergentes en secuencia (García & Kleifgen, 2010). Cada grupo tiene características diferentes:

ESTUDIANTES BILINGÜES EMERGENTES

SIMULTÁNEOS	EN SECUENCIA
Hablan 2 idiomas desde los 0-5 años	Aprenden el segundo idioma después de los 5 años
No dominan el primer idioma (L1)	Dominan el primer idioma (L1)
Saben algunos conceptos en L1 e inglés (L2)	Dominan conceptos en L1
Son etiquetados "bajos" en L1 y L2	Son etiquetados como competentes en L1
Poseen algunas habilidades en L1 y L2	Poseen habilidades en L1

Los estudiantes bilingües simultáneos, que son en su gran mayoría estudiantes que se encuentran en aulas bilingües, 77% en K-5 y 56% en 6-12 (Escamilla, et al, 2014), son aquellos que se crían en un contexto bilingüe, es decir, están expuestos al español y al inglés desde que nacen. Oyen el español en las casas de los padres o abuelos y escuchan y hablan inglés y/o español con los hermanos y amigos a su alrededor. No dominan el primer idioma y saben conceptos en ambos... algo de español y algo de inglés. Al evaluarlos formalmente en las escuelas, se les etiqueta como "bajos" en los dos idiomas, pero en realidad, poseen habilidades y navegan entre el inglés y el español en su entorno.

Por otro lado, los estudiantes bilingües en secuencia, son aquellos que nacen en un contexto monolingüe y no están expuestos a un segundo idioma hasta después de la edad escolar, mayormente después de los 5 años. En su mayoría, sobre todo los que viven en zonas urbanas, dominan el español y dominan conceptos en su primer idioma. Al evaluarlos formalmente en las escuelas, se les etiqueta como "competentes" en español y se considera que también poseen habilidades en los dos idiomas.

Pero, ¿qué pasa cuando se ignora la dualidad del estudiante bilingüe emergente simultáneo y solo se le mide por sus habilidades de lenguaje en inglés?

Tomemos como ejemplo la manera en que Kathy Escamilla ilustra el uso de una mentalidad de déficit.

	Español colores	Inglés colores
José - Kindergarten (bilingüe emergente simultáneo)	2	2
Mark –Kindergarten	-	3

En el ejemplo anterior, parece que Mark es un niño que ha llegado a distinguir tres colores en inglés al contrario de José que solo sabe dos. Pero si nos damos cuenta y tomamos en consideración que José se encuentra en una trayectoria bilingüe, podemos reconocer claramente que 2 + 2 = 4 y que 4 es un número mayor que 3 desde cualquier punto de vista.

Los aprendientes de inglés o estudiantes bilingües emergentes, no están simplemente añadiendo una segunda lengua. Lo que en realidad está pasando al adquirir nuevas prácticas de lenguaje y al desarrollar las habilidades del inglés como segundo idioma, es que estos estudiantes se están convirtiendo en estudiantes bilingües (Celic & Seltzer, 2011).

CONOCIMIENTO PREVIO - BACKGROUND KNOWLEDGE

Si me dieran un dólar por cada vez que oigo decir – *"estos niños no tienen conocimientos previos" ("these kids don't have any background")* no tendría necesidad de trabajar. Este es un ejemplo de la mentalidad de déficit. Según este modo de pensar, los educandos carecen de lo necesario para llegar a un desempeño elevado. Se observa de varias maneras: *"Pobrecito, es mexicano, no puede".*

O, *"Si estos estudiantes LEP solo hablaran inglés, podrían avanzar en su escolaridad"*. La realidad es que, a pesar de tener experiencias divergentes, los estudiantes bilingües emergentes poseen todo lo necesario para ser exitosos en la escuela.

El punto clave es la preparación y la disposición del docente hacia la cultura y el idioma del estudiante. En lugar de considerar al estudiante como "cabeza hueca", se toma al educando como participante activo en su propia educación, con capacidades importantes que aportar si el docente está dispuesto a tomar en cuenta el conocimiento que el estudiante ya trae de sus experiencias. Se aceptan las formas en que el alumno se comunica y se da a conocer. De esta manera, el deber del docente es ampliar y no reemplazar los repertorios lingüísticos del hablante bilingüe emergente.

El uso del conocimiento previo está bien establecido en la pedagogía (Marzano, 2004). El maestro sabio siempre conecta o enlaza una lección nueva con un concepto previamente estudiado. Con esa idea se reconoce la contribución de la cultura como otro conocimiento para enriquecer y hacer avanzar el aprendizaje del educando.

ojo

El término andamiaje se refiere a una variedad de técnicas de instrucción que se utilizan en el aula para ayudar a que el estudiante tenga éxito y un mejor entendimiento de lo que está aprendiendo con el fin de que llegue a lograr independencia en su proceso personal de aprendizaje. Para esto se usan materiales visuales, organizadores gráficos, carteles, listas de palabras, fragmentos, por citar algunos ejemplos.

ANDAMIAJE

> andamiaje = *scaffolding*

A un gran número de estudiantes se les dificulta absorber nuevos conocimientos porque no saben acerca del tema o contenido de un texto. Por eso, es necesario que existan apoyos que les faciliten el procesar conceptos o nuevas ideas. El **andamiaje**, durante la instrucción, le proporciona al estudiante apoyos para que comprenda un concepto nuevo o que realice alguna otra actividad nueva que todavía necesita ensayar o practicar. En la parte de *"Recursos adicionales"* se encuentran técnicas de andamiaje que le servirán al docente en la preparación de sus lecciones e instrucción diarias.

Mi reflexión

· El ver al estudiante bilingüe emergente desde un punto de vista aditivo me ayuda a...

· Todavía se puede notar una mentalidad de déficit cuando...

· Para mí, las razones más importantes para considerar el rendimiento del alumno en los dos idiomas y no solamente en inglés, son...

· Puedo utilizar esta información para apoyar al alumno en el aula de la siguiente manera...

Enfatizar la conciencia metalingüística

ay I use the restroom? 🚻 ¿Puedo

y I drink some water? ¿Puedo t

need help. ✋ Necesito ayuda.

don't know. 🤷 No sé.

don't understand. No entiendo.

¿Qué opinas?

· ¿Cómo puedo ayudar a que mis estudiantes hagan conexiones y vean las similitudes entre los dos idiomas en mi salón bilingüe/dual?

· A veces los estudiantes utilizan "*code-switching* " o "*translanguaging*" cuando se comunican. ¿Qué opino de su uso? ¿Cómo se percibe?

· ¿Se utilizan en mi escuela términos de déficit al referirse a los estudiantes bilingües?

· En la sociedad, ¿se percibe a estos estudiantes como "menos inteligentes"?

ENFATIZAR LA CONCIENCIA metalingüística o **metalenguaje** significa pensar y hablar sobre el lenguaje y entender la relación que existe entre dos o más idiomas. Es importante tener en mente que aprender en dos idiomas no es lo mismo que aprender en uno. Los estudiantes se benefician al tener dos idiomas que interactúan y se complementan el uno con el otro. El desarrollo del metalenguaje incluye la habilidad de identificar, analizar y manipular las formas de lenguaje y analizar sonidos, símbolos, gramática, vocabulario, así como estructuras lingüísticas dentro de un lenguaje y a través de un lenguaje a otro (Escamilla, et al, 2014).

Lo que vemos, pero a veces no entendemos: "¿Code-switching o translanguaging"?

Recientemente en un viaje que hice al Perú, me encontré con personas bilingües que se expresaban de una manera diferente y aunque yo hablo español, me era difícil comprender la mezcla de sus lenguas. Luego me explicaron que muchas de las personas hablan quechua. Los quechuas viven principalmente en el Perú, pero también en Ecuador, Bolivia, Argentina, Chile y Colombia y hablan quechua mezclado con español y le llaman "quechuañol". *¡Qué cool!*

El "*code-switching*", es el uso de dos idiomas en una misma conversación. ¿Por qué la gente hace *code-switching*? Grosjean (2010) expone varias razones:

· Algunos conceptos simplemente se expresan mejor en el otro idioma (por ej., *She needs to have* **ganas**).

· Hay expresiones que existen solo en un idioma y tienen un significado específico (por ej., Vamos a hacer un ***pot-luck*** dinner).

PRÉSTAMO

En estos dos ejemplos, el acto de "*code-switching*" también se conoce como "préstamo" – una palabra (o varias) se toman prestadas de otro idioma tal como existen en este. Algunas son: *shorts, mall, blue jeans, lap-top*.

CALCO O CALQUE

Otra categoría de "code-switching" se denomina "calco o *calque*". En este grupo se encuentran palabras de otros idiomas que han sido transformadas según las reglas del nuevo idioma, aun cuando conservan su significado en la raíz: *ratón* (mouse [computadora]), *haz clic* (click) *chequear* (check).

SINTÁCTICO

También, en el momento de *"translanguaging"*, el bilingüe emergente tiende a utilizar la estructura o sintaxis del idioma materno (por ej., español) para componer frases en inglés. *I live in the house blue.* (Vivo en la casa azul); *Vamos a mi abuela's casa* (Let's go to grandmother's house).

CAMBIO "INTRAORACIONAL"
(en medio de la oración)

En el caso de muchos que practican el *translanguaging,* es común el cambio de idiomas en mitad de la frase, o sea, un cambio *intraoracional.* En estas circunstancias la comunicación empieza en un idioma y cambia al otro.

- *Necesito que me traigas everything from that closet.*
- *If you do that one more time, te voy a castigar.*
- *Business son business.*

Cabe mencionar que el *translanguaging* se usa como estrategia social o comunicativa para pertenecer a un grupo. Por ej., cuando te das cuenta de que alguien habla tu idioma y rápidamente cambias para hacer una conexión. Esto en muchas ocasiones se percibe como tener poco tacto o falta de educación por el grupo monolingüe que no entiende lo que es ser bilingüe.

Es importante recordar que las personas que hacen *code-switching* son personas bilingües con habilidad verbal en dos idiomas y que el hacer *code-switching* **NO es un déficit** (Poplack, 1980). En varios escritos, Grosjean (2010) ha insistido en ver a las personas bilingües de una manera integral. Es decir, una persona bilingüe no es la suma de dos (o más) monolingües incompletos; más bien, son personas con una configuración lingüística única. La coexistencia y constante interacción entre dos o más idiomas en la persona bilingüe ha producido un sistema de lenguaje diferente pero completo.

De acuerdo con Ofelia Garcia (2011), *translanguaging* no significa simplemente saltarse de un idioma a otro. La noción del *code-switching* asume que una persona bilingüe posee dos códigos de lenguaje separados sin tener ninguna conexión el uno con el otro. Por el contrario, *translanguaging* propone que las personas bilingües tienen un repertorio lingüístico del cual seleccionan características específicas de una manera estratégica para comunicarse con efectividad. Esto significa que el *translanguaging* toma, como punto de

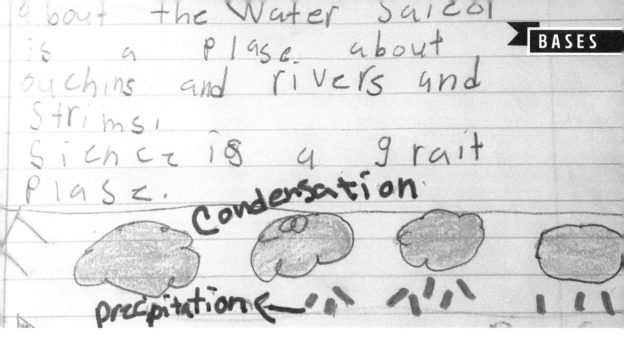

about the Water saicol is a plase about ouchins and rivers and strimsi. Sichez is a grait plase.

Condensation

precipitation←

partida, las prácticas de lenguaje de las personas bilingües como la norma y no como si fueran monolingües (como lo describen los libros de gramática de uso tradicional) (como se cita en Celic, & Seltzer, 2011).

Por estas razones, hay que hacer un nuevo ANÁLISIS y usar un nuevo LENTE cuando trabajamos con estudiantes bilingües. No se trata de ver sus habilidades como interferencia sino como interlenguaje porque...

- El lenguaje se aprende en contexto.
- Las generalizaciones gramaticales son normales cuando el aprendiente de inglés intenta usar el inglés como medio de comunicación:
  - The car red (diferente sintáctica u orden de las palabras en una oración).
  - I make my homework (el verbo "hacer" en español se usa igualmente para *to make* y *to do*).
  - I have eight years (tengo por *have*).

- Algunas palabras y conceptos no tienen traducción y otros son utilizados en expresiones idiomáticas:
  - *Taco/fajitas/siesta*
  - *Me da pena ajena*
  - *Es muy bien educado*
  - *Tener muchas ganas*

Por estas razones, existe gran valor en hacer conexiones metalingüísticas en el aula bilingüe/dual.

Al momento de evaluar la producción (oral o escrita) de los estudiantes, es importante tener en cuenta todas sus habilidades lingüísticas en los dos idiomas. En lugar de percibirse como un error, la irregularidad que a veces sucede al usar el segundo idioma, simplemente indica la manipulación de dos sistemas lingüísticos, por lo tanto, merece un reconocimiento positivo y no censura. Estas oportunidades sirven para reforzar el concepto de "registro académico" o lengua formal e informal.

El desarrollo del metalenguaje entre dos idiomas requiere que los docentes planeen por anticipado y les den a sus lecciones un enfoque específico para que los estudiantes trabajen en pares o en grupos y examinen las diferencias y similitudes que existen entre un idioma y otro. Estas tareas les ayudan a desarrollar un pensamiento de orden superior (Escamilla et al, 2014).

> pensamiento de orden superior = *higher order thinking*

ojo

Esto no significa hacer traducciones simultáneas durante las lecciones.

Hay varios términos básicos de lenguaje que al distinguirlos e identificar su aplicación ayudan a los docentes durante la enseñanza en el aula. Nos sirven como herramientas para ayudar a que los estudiantes igualen o diferencien las estructuras entre un idioma y otro. Esto quiere decir, conocer su aplicación como herramienta en el momento de preparar las lecciones, mas no hacer que el estudiante los memorice.

- **Semántica**: significado de las palabras usadas, o elección de palabras que contribuyen a la comunicación con significado específico, dependiente del contexto. Una palabra aislada (correr) no tiene el mismo sentido a menos que se use en contexto (Voy a correr una carrera; Corrió el riesgo de perder; Corre las cortinas, etc.).

- **Sintáctica**: uso de las palabras en el orden correcto en la estructura de una oración. No es lo mismo decir -El carro rojo. -El rojo carro. *The car red* en lugar de *The red car.*

- **Pragmática**: función del lenguaje (formal/informal). Incluye saludos, peticiones, etc., ¿Cómo está usted?, ¿Cómo estás?, por mencionar algunos ejemplos.

- **Registro**: modo de expresarse y de hablar adoptando diferentes tipos de palabras dependiendo de las circunstancias (formal vs. informal).

- **Fonología**: estudio del sistema de sonidos en un lenguaje.

English	Spanish
dependent	dependiente
independent	independiente
pattern	patrón

- **Morfología:** estudio de cómo se forman las palabras y cómo cambian al añadir afijos (prefijos y sufijos) y sus diferentes conjugaciones.

- **Morfema:** unidad más pequeña de lenguaje que posee su propio significado. Por ejemplo "bilateral" bi=dos, lateral=lados.

- **Fonema:** unidad más pequeña de sonido en una palabra que no se puede descomponer en una unidad menor. La palabra "casa" tiene cuatro fonemas /c/ /a/ /s/ /a/.

- **Léxico:** repertorio de vocabulario o lenguaje que cada persona posee. Cada estudiante tiene su propio léxico que utiliza para comunicarse. Cada disciplina tiene su propio léxico, al igual que las profesiones, hobbies, etc.

- **Calco o Calque:** palabra o frase tomada o prestada de otro idioma. Incluye frases idiomáticas como *flea market* o calques semánticos como ratón (*mouse*) de computación.

- **Gramática:** estudio de los elementos de una lengua, su organización y combinación correcta.

En la sección de los 7 pasos y en el apéndice de este libro se encuentran varios ejemplos de actividades que pueden ser utilizadas para enfatizar el metalenguaje (Ladrillo/mortero; Juego de ¡Basta!; El dictado; Puntuaciones diferentes en español e inglés; Cognados y cognados falsos).

Mi reflexión

- Para mí, la conciencia metalingüística es algo...

- Para mí, el término **code-switching** significa...

- **Translanguaging** se refiere a...

- En ocasiones/rara vez/nunca utilizo términos de déficit al referirme a mis estudiantes bilingües, aunque...

- A mi alrededor, estos estudiantes no se perciben/se perciben como "menos inteligentes" cuando...

Sustentar
la oralidad

¿Qué opinas?

- ¿Cómo puedo desarrollar la oralidad en el aula bilingüe/dual?

- ¿Qué importancia le doy a la oralidad? ¿Cómo logro que suceda?

- ¿Cómo se pueden preparar las discusiones y el diálogo de docente a estudiante, de estudiante a estudiante y de estudiante al grupo?

SUSTENTAR LA ORALIDAD significa hacer que la palabra hablada en el aula se convierta en una realidad diaria. Sabemos que el lenguaje oral es la manera de comunicación mayormente utilizada, sin embargo, pasamos la menor parte del tiempo en el aula ayudando a los estudiantes a desarrollarla (Wright, 2015). De acuerdo con los estudios (Kagan, 1995):

- El docente habla el 80% del tiempo.

- Los estudiantes hablan 20% del tiempo.

- En una hora de clase, el docente habla 48 minutos mientras que los estudiantes hablan solo 12 minutos.

- Si el docente llama a uno por uno de los 30 estudiantes durante una hora, cada estudiante practica el uso del lenguaje por 24 segundos.

A la experiencia de la verbalización se le llama producción. Es decir, es poder explicar lo que sabemos utilizando palabras. De igual manera, podemos experimentar la verbalización o recepción del lenguaje, escuchando lo que otros dicen o escriben (Escamilla, 2014; Wilkinson,1970).

¿Qué estrategias podemos utilizar para ayudar a que los estudiantes desarrollen la habilidad de comunicarse y utilicen el lenguaje informal y formal?

¡Si los estudiantes **no verbalizan**, los estudiantes **no internalizan!**

EL DIÁLOGO

El diálogo es la base fundamental para desarrollar las habilidades comunicativas del estudiante. Es importante que el docente diariamente:

- cree oportunidades para dialogar en el aula con el fin de que los estudiantes usen lenguaje específico; y,

- planee el diálogo estratégicamente basándose en las necesidades del estudiante y enfocándose en el texto que se está trabajando.

Sin embargo, los estudiantes de un segundo idioma tienen que aprender a negociar entre el uso del lenguaje informal y el uso del lenguaje formal. Cummins (2008), hizo una distinción entre las habilidades básicas comunicativas interpersonales (BICS, *Basic Interpersonal Communicative Skills*) y la habilidad para el lenguaje cognitivo académico (CALP, *Cognitive Academic Language Proficiency*). Esta distinción enfatiza los retos que enfrentan los aprendientes de una segunda lengua al tratar de ponerse a tono con sus compañeros que solamente hablan un idioma y que reciben instrucción en el idioma que ya conocen. (Para más información, ver la cita de Cummins, 2008, BICS and CALP que se encuentra en la sección de referencias al final del libro).

Por eso, es importante proveer a los estudiantes con las estructuras de lenguaje (estructuras gramaticales) que ellos puedan utilizar para iniciar discusiones específicas. Por ejemplo, si se le pide al estudiante que compare o contraste, puede utilizar los siguientes fragmentos:

Usando el verbo en tiempo presente:

*Hoy está _____
(nublado, soleado, lluvioso)*

*Hoy es_____
(lunes, martes, miércoles)*

Usando el verbo en tiempo pasado:

*Ayer estaba _____
(nublado, soleado, lluvioso).*

*Ayer fue _____
(lunes, martes, miércoles).*

Usando el verbo en tiempo futuro:

*Mañana estará _____
(nublado, soleado, lluvioso)*

*Mañana es _____
(lunes, martes, miércoles)*

*Mañana será _____
(otro día, muy tarde, diferente)*

Hay que hacer hincapié en el uso de vocabulario específico dependiendo del texto. En el caso de comparaciones, podría utilizarse:

mientras, listo/más listo, mejor/la mejor

Recordemos que, en el aula bilingüe, el docente no solo enseña en español o en inglés, sino que enseña de una manera explícita las estructuras gramaticales del español y del inglés, incluyendo de forma específica el desarrollo del lenguaje oral en ambos idiomas con la ayuda de estructuras gramaticales y vocabulario social y académico. Así mismo, el docente incorpora a diario oportunidades de lectura utilizando textos seleccionados por él/ella y por los mismos estudiantes. También les ofrece oportunidades de practicar la escritura para asegurarse de que los estudiantes internalicen las estructuras de ambos idiomas.

Los niveles de producción de una segunda lengua se muestran en la siguiente tabla (Krashen and Terrell, 1983). Estar al tanto de estos niveles, clasificaciones y descripciones le ayuda al docente a establecer expectativas razonables para el rendimiento de cada estudiante y para el desarrollo de lecciones y actividades acordes con sus necesidades específicas.:

	Niveles de producción	Clasificación de la habilidad de lenguaje	Descripción
1	Preproducción Producción temprana	Principiante	Poquito o nada del segundo idioma usando materiales visuales para comprender y el primer idioma como apoyo
2	Emergiendo en el lenguaje	Intermedio/emergente	Habilidad limitada, estructuras de lenguaje simples, vocabulario repetitivo o de uso frecuente en contextos rutinarios usando el segundo idioma con ayuda del docente o amiga/o
3	Elocuencia intermedia	Intermedio alto/en desarrollo	Habilidad para involucrarse en la instrucción con el nivel esperado y con apoyo/andamiaje en el segundo idioma
4	Elocuencia avanzada	Avanzado/hábil	Habilidad para involucrarse con detalle en la instrucción con el nivel esperado y con apoyo/andamiaje mínimo en el segundo idioma

Hay veces en que los niveles de pre-producción y producción temprana se unen para catalogar a un estudiante como principiante. Esta información fue adaptada de los *Estándares del desarrollo del lenguaje español* por el consorcio WIDA (2013).

En el apéndice de este libro se encuentran fragmentos de oraciones con los diferentes niveles de producción de lenguaje. Estos están indicados con los números 1, 2, 3 y 4 respectivamente.

En la sección de los *7 Pasos* se encuentran ejemplos de cómo utilizar los fragmentos y sus diferentes niveles de producción. Cabe mencionar que para practicar los fragmentos con alumnos en la etapa de Preproducción/Producción temprana (Principiante, nivel 1) es necesario hacer demostraciones frecuentemente e incorporar señalizaciones y materiales visuales como se indica en los pasos número 4 y 5 de la siguiente sección, *7 Pasos para crear un aula interactiva y rica en lenguaje.*

Mi reflexión

· Para mí, lo más importante de la oralidad es...

· Una idea que aprendí para apoyar la oralidad...

· Ayudo a mis estudiantes a comunicarse oralmente ....

Segunda parte

7 pasos para crear un aula interactiva y rica en lenguaje

INTRODUCCIÓN

El docente a cargo del salón bilingüe reconoce la necesidad que existe de involucrar al estudiante en los cuatro dominios de lenguaje: hablar, escuchar, escribir y leer. Eso se logra utilizando conversaciones responsables y auténticas, además de estrategias y actividades de lectoescritura. Y ahora llegamos a la pregunta obvia, ¿cómo lo puedo lograr?

Para crear el salón bilingüe por excelencia, es importante contar con estrategias y actividades que motiven al estudiante a aprender en el aula. En la sección que sigue presentamos una transadaptación al español de *7 Steps to a Language-Rich Interactive Classroom: Research-Based Strategies for Engaging All Students* (Seidlitz y Perryman, 2011). Esta

variedad de actividades, implementadas por muchos distritos escolares, ha impactado en el crecimiento académico de los aprendientes de inglés.

A continuación, se presentan actividades de expresión oral, que le ayudan al docente a incorporar el diálogo informal y las discusiones responsables, enfatizando adecuadamente la forma y la función del lenguaje académico a través del uso de estructuras gramaticales específicas. Algunas de estas actividades fueron adaptadas de la Secretaría de Educación Pública de México, con el fin de ayudar al docente a incorporarlas en el aula bilingüe/dual.

7 PASOS

1. Usar opciones en lugar de "No Sé"
2. Hablar en oraciones completas
3. Participar de forma rotativa y aleatoria
4. Usar señalizaciones
5. Usar vocabulario y materiales visuales específicos para los objetivos
6. Participar en discusiones responsables y estructuradas
7. Participar en actividades estructuradas de lectura y escritura

USANDO LOS CÓDIGOS QR, VEA EN LOS VIDEOS CÓMO LAS MAESTRAS SARAH KAYEM Y PATTI ACOSTA IMPLEMENTAN LOS 7 PASOS.

https://youtu.be/zO0EW2rDLdE
https://youtu.be/-nfV_jhMd9o

1 Usar opciones en lugar de *"No sé"*

¿Qué responder

¿Me podría

¿Podría repeti

¿Me podría

¿Podría pedi

A PESAR DE QUE HAY MAESTROS innovadores, todavía existe un sentimiento en el aula que transmite la idea de que los únicos que deben contestar son aquellos con la respuesta predeterminada como "correcta". El resultado de esta forma de enseñar es que los alumnos no se atreven a contestar ni participar si tienen cualquier duda sobre su respuesta. Al parecer, los hemos condicionado a no responder o a evitar hacerlo sin tener que pensar o hacer un esfuerzo para responder. Han aprendido con mucha rapidez que los maestros solo llaman a aquellos que siempre responden, dando a otros la oportunidad de no participar al responder con un simple *"No sé"*. ¿Por qué responden diciendo *"No sé"*? Porque les da muy buen resultado.

Sra. L. – *José, ¿qué vimos ayer en la clase de matemáticas?*

José – *No sé.*

Sra. L. – *Seguro no estabas poniendo atención. A ver, alguien más que me pueda decir...* (Nadie levanta la mano). *No puedo entender cómo no se acuerdan. Clase, ayer estábamos sumando números de dos dígitos. ¿Lo recuerdan?*

Si el maestro responde a sus propias preguntas, no resuelve el problema ni tampoco ayuda a los estudiantes a desarrollar la capacidad de buscar respuestas a sus propias dudas.

¿Qué pasaría si alguien le preguntara algo y usted simplemente contestara "No sé" y siguiera de largo? En el ámbito profesional, este comportamiento nunca será bien visto. Por eso mismo, es necesario enseñar a los estudiantes a usar alternativas.

Aquí es donde podemos aportarles valor a los estudiantes, como anteriormente se expuso, equipándolos con las herramientas lingüísticas necesarias para ser estudiantes autosuficientes.

El Paso número 1 es una alternativa específica que se convierte en otra norma para el aula y que funciona de la siguiente manera:

Para que tanto el docente como el aprendiente recuerden los pasos, se cuelga un cartel de anclaje en el aula con el siguiente mensaje »»»

cartel de anclaje = anchor chart

Qué decir en lugar de "No Sé"

¿Me podría dar más información?

¿Me podría dar tiempo para pensar?

¿Podría repetir la pregunta?

¿Dónde podría encontrar más información?

¿Podría pedirle ayuda a un compañero?

En la primera semana de clases, se da la explicación de cómo se sigue, utilizando ejemplos. Cada vez que la maestra o el maestro haga una pregunta, si el alumno no sabe la respuesta, se indica que elija una de las opciones del cartel.

De esta manera, el estudiante se acostumbra a responder o a usar una opción del cartel y luego responder. Lo importante es que cualquier estudiante al que se le haga una pregunta pueda usar la estrategia para poder responder siempre. Por ejemplo:

Sra. L. – *Carmen* (escogiendo un nombre al azar), *¿puedes decir qué vimos ayer en la clase de Ciencias?*

Carmen – *No sé.*

Sra. L. – *¿Puedes utilizar una opción del cartel?* (Apuntando con el dedo)

Carmen – (Leyendo el cartel) *¿Podría pedirle ayuda a un compañero?*

Sra. L. – *¡Claro! Todos, volteen hacia un compañero y compartan sus opiniones utilizando su diario de Ciencias y viendo la gráfica.* (La Sra. L. se asegura de que Carmen obtenga la respuesta del compañero y pueda identificar el tema viendo la gráfica).

Sra. L. – *Ya veo que todos compartieron sus opiniones. A ver, Carmen, ¿me puedes decir qué vimos ayer en la clase de Ciencias?*

Carmen – *Ya me acordé, ayer en la clase de Ciencias ilustramos el ciclo del agua y dimos ejemplos de precipitación.*

Sra. L. – *Muy bien, Carmen, gracias por responder.*

La idea básica de este paso es darles a los estudiantes suficientes opciones en forma de preguntas y respuestas para que las usen en diferentes situaciones y así puedan pedir y recibir ayuda para responder de manera independiente.

Por ejemplo, en una clase de Ciencias, esta estrategia les ayuda a pedir clarificación durante experimentos en el laboratorio. *"¿Cuál es mi responsabilidad?"* o *"¿Qué tengo que hacer durante este paso?"*. En la clase de lenguaje, se hacen preguntas el uno al otro cuando están trabajando en equipos de literatura (círculos literarios) cuando no se entiende el tema durante la conversación. *"¿Me puedes explicar eso de otra forma?"*. De la misma manera, enseñamos a los niños de kinder a decir, *"¿Me puede decir cómo…?"* cuando necesitan ayuda en la cafetería, en el patio de recreo o en el autobús.

Platicamos

OBJETIVO
Los estudiantes platican en pares para pedir información.

MATERIALES
Tiras de papel o cartel

INSTRUCCIONES

1. Platicar con los estudiantes durante los primeros días de clase sobre la importancia de conocerse unos a otros, ya que van a compartir mucho tiempo en la escuela.

2. Ponerlos en parejas (A/B) para que platiquen sobre aspectos familiares, gustos y preferencias personales, así como de sus expectativas escolares y situaciones o actividades de la escuela.

3. Demostrar el uso del lenguaje y apuntar los diferentes fragmentos en el pizarrón, cartel o tiras de papel.

   Hola, me llamo....

   A mí me gusta ir a

   Mi comida favorita es _____ porque...

   Tengo ___ hermanos/hermanas

   Estoy contenta/o de estar en la escuela porque...

4. Comentar con los estudiantes la importancia de la comunicación entre las personas, pues es una forma de relacionarse entre los seres humanos. Dígales que propiciará conversaciones a lo largo del año escolar con temas que sean de interés para ellos.

Crear un cartel

OBJETIVO

Los estudiantes contribuyen con opciones sobre lo que se podría decir y las ponen en el cartel de anclaje titulado **Qué decir en lugar de "*No sé*".**

MATERIALES

Un cartel

INSTRUCCIONES

1. Escribir una o dos opciones que se puedan utilizar para contestar cuando el estudiante no sepa cómo responder a una pregunta.

2. Participar con los estudiantes en una lluvia de ideas y contribuir con otras opciones para añadir al cartel.

3. Repasar las opciones periódicamente durante el año, cuando sea necesario, y añadir alternativas conforme se vaya presentando la oportunidad.

¿Puedo ir _____, por favor?

al baño, a la biblioteca, a la enfermería

a tomar agua, por mi... (libro, flauta)

por mi... (lápiz, cuaderno, lonchera)

¿Puedo sacarle punta a mi lápiz?

PASO

2 Hablar en oraciones completas

responsable	responsable
y de acuerdo, porque...	I agree b
toy de acuerdo porque...	I don't agr
opinión ...	In my o
me recuerda de ...	This reminds
ba confudido cuando...	I was conf
gusto ...	I did no
ienso que...	I think
sta ...	I like ..
rí que ...	I discovere
dicción es que...	I predict
edes enseñar ?	Can
ótesis es que ...	My
endí que ...	I ur
y seguro de ...	I'm
ver que ...	I c

ESTA SIMPLE EXPECTATIVA mejora dramáticamente la calidad y la dinámica de interacción en el aula. Cuando se espera que los estudiantes se comuniquen utilizando oraciones completas, ellos tienen la necesidad de expresar pensamientos completos para que así el oyente los comprenda mejor. De la misma manera, aprenden a enlazar vocabulario nuevo con conceptos nuevos y, por ende, practican vocabulario académico con más frecuencia.

En el ejemplo que sigue, vemos a un alumno tratando de explicarse, sin el vocabulario necesario para expresarse con claridad y precisión. Esa estudiante intenta explicar las características de un triángulo, pero tropieza en su discurso, dado que no puede utilizar frases completas:

Sí, maestra mire, un triángulo es una cosa, así como con piquitos que se ve como así (utilizando gestos) como la que nos enseñó ayer, ¿se acuerda? Esa que tenía arriba de la cosa esa que se parecía a la otra cosa que estaba en el libro con cositas, así como de colores...

Esta estudiante simplemente no sabe cómo comunicarse utilizando vocabulario formal. De igual manera, es muy difícil para un estudiante comunicarse por escrito cuando no puede hacerlo oralmente utilizando un vocabulario académico o preciso. Al proveer a los estudiantes el andamiaje apropiado para hablar, les brindamos la clave para tener éxito en el mundo profesional. Este es solo el comienzo.

Cada una de las interacciones en el aula entre docente y aprendientes, y entre los aprendientes mismos, no requiere del uso de oraciones completas. No es normal hablar así en todo momento.

Sin embargo, en contextos formales, por ejemplo en la escuela, la forma de comunicación tiende a ser más formal para evitar confusión y para demostrar comprensión y un aumento de conocimiento. Las frases completas, con sus términos exactos, representan una comunicación eficiente.

FRAGMENTO

Fragmentos de oraciones = *sentence stems/sentence frames*

En contextos apropiados, el uso de fragmentos de oraciones es una manera muy efectiva para que los estudiantes respondan de manera formal. Un fragmento es una frase corta e incompleta que se les da a los estudiantes para que comiencen la conversación. Esto les ayuda a estructurar su respuesta. El uso de fragmentos de oraciones cambia dramáticamente el tono y la calidad de la interacción en el aula porque ayuda a los alumnos a sentirse más cómodos y exitosos con el uso del vocabulario académico como forma de expresión.

Aunque sean pocas palabras, para el aprendiente es mucho esfuerzo construir una oración completa y lograr dos metas básicas: (1) abarcar no solo el concepto correcto, sino además, (2) enmarcarse en la estructura gramatical correcta. Por eso es recomendable usar los fragmentos y así agilizar la producción oral o escrita de una forma más académica.

Es impresionante ver que algo tan sencillo como usar fragmentos de oraciones para que los alumnos se expresen correctamente en ambos idiomas pueda tener un impacto tan grande, positivo y perdurable en el desarrollo y la manera en que se comunican con los demás.

Sarah Kayem, 3.er Grado, Maestra Bilingüe, Leon Valley Elementary, NISD

Adivina adivinador

OBJETIVO

Los estudiantes advierten la necesidad de proporcionar información precisa y suficiente cuando se hace una descripción.

MATERIAL

Una serie de tarjetas con imágenes de animales diversos (las imágenes pueden corresponder a otros temas)

INSTRUCCIONES

1. Repartir tarjetas con ilustraciones de animales e indicar a los estudiantes que las deben esconder, pues el juego consiste en que los demás adivinen de qué animal se trata a partir de la información que cada quien proporcione al describirlo. Ganarán los estudiantes que más rápido consigan que sus compañeros adivinen.

2. Practicar sus descripciones en pares o en grupos de 4, utilizando fragmentos de oraciones:

   • *Este animal vive en...*

   • *Tiene...*

   • *Su cuerpo está...*

   • *A este animal le gusta comer...*

   • *A mí me gusta/no me gusta porque...*

3. Presentar, por equipos, las descripciones a todo el grupo y hacer una lista de cotejo para comparar los equipos que acumulen mayor puntuación.

4. Escribir, tarea extra, las descripciones en un cuaderno o diario.

Mi autobiografía

OBJETIVO
Los estudiantes exponen su autobiografía utilizando una línea de tiempo.

MATERIALES
Línea de tiempo personal y fotografías o dibujos de acontecimientos.

INSTRUCCIONES

1. Explicar, unos días antes de a la realización de la actividad, qué es una autobiografía y cómo se puede ilustrar utilizando una línea de tiempo. Usar de ejemplo su vida, comenzando con su origen, acontecimientos importantes de su vida, etc., y demonstrar cómo se crea la línea de tiempo.

2. Pedir a los estudiantes que pregunten en sus casas acerca de sí mismos desde el momento en que nacieron y sobre otras fechas importantes. Coleccionar fotografías o crear sus propias ilustraciones.

3. Ayudar a los estudiantes a crear su línea de tiempo (por meses o por años) una vez que hayan obtenido la información necesaria.

4. Compartir en grupos pequeños o ante todo el grupo su línea de tiempo utilizando varios fragmentos de oraciones como apoyo o andamiaje:

   - *Yo nací en _____ en ...*
   - *En _____ aprendí a caminar/hablar.*
   - *Tenía _____ años cuando se me cayó el primer diente.*
   - *Entré a la escuela en ...*
   - *Me bautizaron en...*

 OJO

Es posible que esta actividad tarde más de un día así todos los estudiantes tienen la oportunidad de compartir sus líneas de tiempo. Como tarea extra, los estudiantes pueden escribir su autobiografía utilizando el lenguaje oral que han practicado en sus explicaciones orales.

En el camino

OBJETIVO

Los estudiantes comparten oralmente lo que han observado antes de construir un texto narrativo y secuencial.

MATERIALES

Fragmentos de oraciones en tiras de papel, en una hoja, una diapositiva o en el pizarrón.

INSTRUCCIONES

1. Pedir a los estudiantes, con uno o varios días de anticipación, que pongan atención a todo lo que observen desde que salen de sus casas hasta que llegan a la escuela.

2. Pedir a los estudiantes que en parejas conversen y compartan los acontecimientos que sucedieron o lo que observaron desde que salieron de casa hasta que llegaron a la escuela.

3. Ayudar dándoles varios fragmentos de oraciones:

Primero, al salir de mi casa/escuela yo vi...

Después me encontré...

Aparte, el día estaba...

Finalmente, mi mamá/papá/abuelo/etc. me llevó a _____ y...

4. Pedir a algunos estudiantes que cuenten sus experiencias o que cuenten las experiencias del compañero o compañera.

5. Utilizar este ejemplo para narrar otros acontecimientos del año escolar.

Me comunico

OBJETIVO

Los estudiantes utilizan formas de expresión oral adecuadas a situaciones comunicativas diversas.

MATERIALES

Se pueden usar atuendos/trajes/disfraces para caracterizar a diferentes personajes y objetos (realia) que faciliten la dramatización.

INSTRUCCIONES

1. Proponer a los estudiantes que preparen sesiones organizándolos en equipos. Cada uno prepara una presentación donde se represente una situación de la vida cotidiana. En cada una de ellas, los estudiantes tendrán la posibilidad de utilizar diferentes formas de expresarse, por ejemplo, en una escena familiar, como padres o abuelos; en un banco, como gerente o cliente; como una persona que solicita empleo; como maestro de ceremonias en una fiesta escolar, etc.

2. Organizar a cada equipo con anticipación para que preparen su presentación ante el grupo y también preparen el material para la dramatización.

3. Proveer fragmentos de oraciones como andamiaje y apoyo para iniciar el diálogo.

ENTREVISTA DE TRABAJO:

Empleador	Solicitante de empleo
• *¡Buenos días!*	• *Buenos días, mucho gusto. Me llamo José González, para servirle.*
• *¿Por qué quieres trabajar aquí?*	• *Una de las razones es porque he oído de los beneficios que ofrecen a empleadas/os jóvenes como yo.*
• *¿Qué quieres hacer cuando seas grande?*	• *Todavía no he tomado una decisión definitiva pues sé que hay muchas opciones.*
• *Te deseo suerte. Pronto te avisaremos nuestra decisión.*	• *Gracias por brindarme esta oportunidad. Fue un placer platicar con usted.*

4. Presentar en grupo al finalizar la preparación de la dramatización. Al término de cada una, el docente pregunta al grupo o despliega las preguntas en un cartel (pulgar hacia arriba/hacia abajo) o en tarjetas: *"¿Qué les pareció el trabajo de sus compañeros? ¿Utilizamos la misma forma de expresión para dirigirnos a diferentes personas en cualquier situación?"*. El docente puede ampliar dando ejemplos diversos. El maestro puede de antemano proponer las escenas que serán representadas: un diálogo con la directora de la escuela, una conversación entre amigos acerca del fin de semana, una cita con el médico, pedir comida en un restaurante, etc.

PASO
3
Participar de forma aleatoria y rotativa

ES DIFÍCIL HACER QUE TODOS LOS estudiantes participen cuando se hacen preguntas en la clase. Con frecuencia, son los mismos estudiantes los que levantan la mano y quieren participar. Por consiguiente, el docente tiende a llamar a estudiantes que exhiben mayor entusiasmo para que respondan y ellos son quienes generalmente dan respuestas correctas. Esto permite que la lección siga sin gran contratiempo. Sin embargo, y con mucha frecuencia, insistimos en que todos los alumnos participen, pero desgraciadamente nos vemos frustrados al ver que muchos de ellos muestran caras de incertidumbre al no poder dar respuestas acertadas.

Obviamente, hay momentos en los cuales los docentes permiten la participación opcional de los estudiantes, pero hay que recordar que esta participación opcional es fácil para algunos, pero no para todos los estudiantes. Si falta un sistema de selección, el docente corre el riesgo de dejar afuera a los que no gritan o alzan la mano primero. Estos estudiantes son a los que comúnmente se les llama "en riesgo", o los que posiblemente tienen alguna discapacidad, o no hablan inglés como primer idioma y quienes definitivamente se benefician al ser parte del grupo a la hora de participar.

En riesgo = *At-risk*

¿Qué se puede hacer para lograr mayor participación?

PRIMERA SOLUCIÓN: SELECCIONAR ESTUDIANTES DE FORMA ALEATORIA

Seleccionar estudiantes al azar es una manera efectiva que requiere poca planeación. Se crea un sistema simple utilizando palitos de madera o tarjetas para escribir los nombres de los alumnos. Este sistema se utiliza para llamarlos por su nombre y así eliminar preguntas comunes que no promueven la inclusión como:

¿Quién me puede decir…?
¿Alguien recuerda…?
A ver, ¿quién sabe…?

En la mayoría de los casos, estas preguntas son contestadas por los mismos estudiantes de siempre, desanimando o condicionando a los otros a que sigan sin contestar o al menos hagan un esfuerzo. Nuestra meta es que todos se involucren en discusiones que nos permitan evaluar de manera informal el conocimiento de conceptos que poseen los estudiantes. ¿Cómo se logra?

1. Se hace una pregunta;
2. Se hace una pausa;
3. Se selecciona un palito o una tarjeta con el nombre de un estudiante.

Es importante que las preguntas que se hagan sean hechas a todos sin excepción y sin pedir voluntarios para que las respondan. En algunos casos, es importante enfatizar que **NO** levanten la mano aunque sepan la respuesta; esto elimina la tentación de llamar a voluntarios. Después de la pausa, y al crear una tensión positiva, los estudiantes tratan de anticipar quién será el elegido para contestar. Luego se hace la selección al azar utilizando los palitos de madera o las tarjetas y se asegura de que todos estén atentos. Después de un tiempo, los estudiantes se acostumbrarán y se prepararán para responder. Esto se ha implementado exitosamente en aulas desde Pre-kinder hasta el último año de preparatoria/secundaria y aun en aulas con adultos.

SEGUNDA SOLUCIÓN: SELECCIONAR ESTUDIANTES DE FORMA ROTATIVA

Esta estrategia sirve muy bien para discusiones en clase y se conoce comúnmente como *Enumerar cabezas* de Spencer Kagan. El objetivo es involucrar a todos los estudiantes para evitar llamar a los mismos repetidamente.

¿Cómo se logra?

Preparativos: Identificar los puntos y objetivos de la lección. Decidir preguntas posibles para la lección. Crear fragmentos (1 o más) para apoyar al aprendiente cuando se le pida que conteste.

1. Se divide a los estudiantes en grupos de cuatro.

2. Se les asigna un número a cada uno o si son mayores ellos mismos eligen su número.

3. Se hace una pregunta, indicando el fragmento apropiado.

4. Se les da la oportunidad de compartir la respuesta en su grupo.

5. Se pide que los de cierto número se pongan de pie. Por ejemplo *"Todos los número 1, pónganse de pie"*.

6. Los del número asignado responden por su grupo.

7. Si la respuesta es similar a la de otro grupo, se les indica que respondan diciendo: *"Estamos de acuerdo con nuestro compañero/a que _____ porque..."* o algo similar. NO se acepta decir: *"Él me robó la respuesta"*, ni *"Ya lo dijo ella"*.

Se repite el proceso con las otras preguntas para dar oportunidad de que más de un cierto número participe. Esta estrategia es más efectiva cuando se utilizan preguntas abiertas que no requieren la misma respuesta. Por ejemplo: - *"¿Cuáles son tres características de un líder?"* En lugar de *"¿Cuál es el producto de 4x4?"*

Otras maneras de seleccionar estudiantes al azar y de hacer rotaciones son:

- Crear una tabla con asientos asignados

- Enumerar los pupitres o asignarles colores o figuras

- Usar programas en línea o *apps* que seleccionen nombres de estudiantes

Si no hay un **sistema**, la **inclusión** es ilusión.

Lo importante no es cuál sistema se use, sino que se use un sistema. Es importante tener participación total porque menos del 100% de involucramiento no es suficiente.

Mi paso favorito es el número 3, donde escojo aleatoriamente a mis estudiantes para que compartan y además los roto para que hablen entre sí varias veces. Tengo una clase con niños especiales, problemas del habla, niños bilingües y monolingües. Con el uso de los "7 Pasos", he logrado darme cuenta de que todos mis estudiantes son capaces de mucho más de lo que me imaginaba si tan solo les doy la oportunidad.

–Patti Acosta, 1.er grado, Maestra Bilingüe
Leon Valley Elementary, NISD

No te hundas

OBJETIVO
Los estudiantes conversan unos con otros como un medio para repasar información.

MATERIALES
Sus propios apuntes, libro, carteles en el salón o cualquier otro recurso que contenga información de repaso.

INSTRUCCIONES

1. Explicar a los estudiantes el juego de No te hundas, el cual consiste en que todos los estudiantes se pongan de pie junto a sus pupitres o sillas y den unos pasos alejándose de ellas. El docente luego dirá: "No te hundas… ¡junta tres!", para que los estudiantes rápidamente formen grupos de 3. El estudiante que no tenga compañero se junta con su maestro o maestra o se une a otro grupo que esté incompleto (si el número total de estudiantes es mayor, se pueden crear grupos de 3, 4, 5, etc.).

2. Invitar a los estudiantes a compartir de forma rotativa información sobre el tema que está en discusión (tema personal, solución de problemas matemáticos, descripción de servidores públicos, características de un cuento, etc.).

- **Matemáticas**
  Un _____ (rombo, cuadrado, círculo, etc.) tiene _____.

- **Ciencias**
  Los/las (mamíferos/aves) _____son iguales/diferentes a los/las _____ porque…

- **Sociales**
  Es importante reciclar _____ porque…

- **Lectura**
  El autor describe…

3. Dar la orden al finalizar la conversación: "No te hundas…¡junta dos!" Ahora los estudiantes forman pares y comparten.

4. Compartir lo que aprendieron en parejas o en grupos de tres cuando regresen a sus sillas o pupitres originales.

Por colores

OBJETIVO

Los estudiantes contestan preguntas o comparten información según el color asignado en sus mesas, sus pupitres o en la alfombra.

MATERIALES

Pegatinas de colores para las mesas o pupitres. Marcadores de colores (iguales a las pegatinas) para escribir en un cartel o en el pizarrón blanco.

INSTRUCCIONES

1. Asignar un color a cada estudiante y colocar una pegatina de ese color en su pupitre. Si los estudiantes están sentados en grupos de cuatro, los colores pueden ser azul, rojo, amarillo y verde. También se pueden utilizar los colores de los cuadros de la alfombra en donde cada uno de los estudiantes está sentado.

2. Indicar a los estudiantes que rotarán después de responder preguntas comenzando con un determinado color hasta que todos los colores hayan participado.

3. Llamar a los estudiantes cuando hayan terminado alguna actividad para que compartan sus respuestas. Según el color que el docente elija, será el estudiante que comparta la respuesta. Si para escribir el docente elije el color rojo, entonces el estudiante con la pegatina roja o sentado en el cuadro rojo tiene que responder o compartir. Si el docente elije el marcador azul, entonces el estudiante con la pegatina azul o sentado en el cuadro azul tiene que responder o compartir. Y así sucesivamente.

Exponer en mi museo. Rotar de mesa en mesa

OBJETIVO

Los estudiantes resuelven fracciones usando objetos concretos y rotando de mesa en mesa para visitar diferentes exposiciones.

MATERIALES

- Objetos de plástico para manipular de plástico: cubos de colores para enlazar, ositos de plástico, botones de colores, etc.
- Tarjetitas o pedacitos de cartulina
- Marcadores

INSTRUCCIONES

1. Preguntar a los estudiantes si han ido a un museo y si han visto exposiciones. Explicar que cada exposición tiene una placa que contiene información acerca de lo que se expone.

2. Demostrar cómo van a crear una exposición en su propio museo (en su mesa o pupitre) y dar un ejemplo de una exposición utilizando dos fracciones conocidas y una misteriosa.

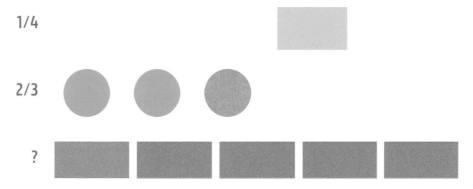

3. Pedir a cada estudiante que construya su propia exposición (dos explicadas en la plaquita al pie de las fracciones conocidas y una con un signo de interrogación al pie de la fracción misteriosa).

4. Rotar con un compañero o una compañera e ir de mesa en mesa y visitar todos los museos.

5. Leer las plaquitas e identificar la fracción misteriosa.

(Tomada del aula de la maestra Sarah Kayem, 3.er grado, Maestra Bilingüe, Leon Valley Elementary, NISD)

(Bob Krech a.k.a. "Math Man" Scholastic Instructor https://www.youtube.com/watch?v=lizNJthlpr8)

PASO

4 Usar señalizaciones

LA PARTICIPACIÓN DE TODOS LOS estudiantes utilizando gestos y señales se usa para indicar al docente que ellos están listos para responder a una pregunta, o que están listos para que les continúe dando instrucciones durante la lección. Estas señales le permiten al estudiante prepararse antes de participar oralmente o por escrito sin sentirse presionado. El gesto en sí no es la evaluación, sino que exterioriza una evaluación interna (por ej.: "¿Entiendo esta oración?", "¿Estoy de acuerdo con lo que dijo?", "¿Necesito pedir más tiempo para terminar?"). Al ver estas respuestas físicas (por ej., pulgar arriba/abajo), el docente puede determinar el seguimiento correcto en la instrucción.

dotados y talentosos = *Gifted and Talented*

desafiantes = *defiant*

Son necesarios tres elementos para que el sistema de respuestas sea efectivo: *Todos* deben *responder* con *señales*

1. **Todos:** No se permite omitir a ningún estudiante. Se incluye a los que se encuentran en riesgo, los aprendientes de inglés, los que tienen necesidades especiales, los dotados y talentosos, los desafiantes, y aun aquellos que tienen educación formal limitada o interrumpida. "Todos" significa todos.

2. **Responden:** Los estudiantes piensan en lo que saben y luego eligen la respuesta. Cada estudiante hará su propia elección. Después de hecha una pregunta, se les da la oportunidad de tomar una decisión.

3. **Señales:** Ya hecha la elección de la respuesta, los estudiantes mostrarán su decisión con un gesto o movimiento indicado por el docente (pulgares para arriba, lápiz sobre la mesa, etc.). La señal debe ser clara para rápidamente poder echar un vistazo a todos los estudiantes. Esto le comunica al docente el nivel de comprensión y/o preparación del alumnado sobre el tema que se está estudiando.

UN EJEMPLO:

Maestra – *Vamos a revisar la gráfica que acabamos de completar. Pongan la mano sobre la cabeza si pueden identificar un ejemplo de precipitación en el ciclo del agua. (Viendo que algunos no han respondido, la maestra les señala el cartel que ella creó en frente del salón y señala 'la lluvia'). Fíjense en mi cartel para que localicen un ejemplo en su diagrama. Muy bien, ya veo que lo han encontrado. Voy a seleccionar a uno de ustedes utilizando mis palitos de madera. A ver, Ben, pasa al frente a indicarnos cuál es un ejemplo de precipitación.*

Ben – (Pasando al frente y señalando) *La lluvia es un ejemplo de precipitación, maestra.*

Maestra – *Gracias, Ben, por participar dándonos tu respuesta. Es correcto. La lluvia es un ejemplo, pero también es correcto si escogieron nieve o granizo.*

El uso de señales y gestos ayuda al docente a revisar la comprensión de los estudiantes de manera consistente. Los consideramos pequeñas evaluaciones que se usan durante la lección. Con el uso de señales, no necesitamos esperar a que se les dé un examen escrito para saber si van entendiendo el tema.

La perrita YUKA

EXISTEN CUATRO TIPOS DE SEÑALES O GESTOS:

Respuestas escritas: Los estudiantes escriben sus respuestas en una hoja de papel o en pizarrones blancos individuales y los levantan mostrando su respuesta a la maestra.

Respuestas para decir "estoy listo/a": Cuando los estudiantes han terminado de pensar y están listos para responder a una pregunta que ha sido planteada, se puede usar una seña o un gesto.

Respuestas seleccionando una opción: Los estudiantes muestran su respuesta después de haber elegido una opción. Por ejemplo, utilizando tarjetas con letras A, B, C, D, los estudiantes eligen una para mostrar al grupo la que han seleccionado.

Respuestas para clasificar: Después de mostrar a los estudiantes un enunciado, ellos pueden decidir si están o no de acuerdo con lo que han leído o visto. Un ejemplo sería: "Los gatos son mejores mascotas que los perros" Si están totalmente de acuerdo, los estudiantes levantan la mano mostrando cinco dedos. Si están totalmente en desacuerdo, levantan la mano con el puño cerrado y si están indecisos, pueden levantar la mano mostrando dos o tres dedos, según su nivel de acuerdo o desacuerdo.

¿Cuáles son algunas de las señales que se pueden utilizar en grupo?

Esta gráfica muestra ejemplos específicos de cada tipo de respuesta con señales

Para respuestas escritas	• levantar la hoja • pizarrones blancos individuales • pizarrones verdes • tarjetas con respuestas
Para decir "*estoy listo/a* para responder"	• levantar la mano • bajar la mano • estoy pensando (mano en la barbilla) • ponerse de pie • sentarse • poner el lápiz o pluma sobre la hoja • poner la pluma en el pupitre/mesa • mirar al frente • recostar la cabeza sobre los brazos
Para indicar opción o preferencia de respuestas	• mano abierta/mano cerrada • pulgares para arriba o para abajo • plumas para arriba o para abajo • uso de números • uso de tarjetas verdes o rojas • caminar hacia el rincón o la esquina designada para mostrar acuerdo o desacuerdo
Para clasificar las respuestas	• clasificar con los dedos • clasificar con el brazo (cuanto más alto, significa que es mejor) • formarse de acuerdo con la respuesta • golpear la mesa/aplaudir/gritar con entusiasmo

Tocar con fuerza

OBJETIVO

Los estudiantes identifican la sílaba que lleva el acento tónico o la sílaba acentuada con tilde tocando en sus mesas o pupitres con el puño cerrado.

MATERIALES

Oraciones con palabras escritas de la misma manera que tienen otro significado cuando llevan tilde (papá – papa, camino – caminó, etc.).

INSTRUCCIONES

1. Preparar varias oraciones que contengan palabras que se escriben de la misma manera (una con tilde y otra sin ella), las cuales tienen diferentes significados y se pronuncian de diferente manera.

Algunos ejemplos:

hablo – habló	clavo – clavó
papa – papá	paso – pasó
regalo – regaló	dibujo – dibujó
forro – forró	canto – cantó

Algunos ejemplos de oraciones:

- La niña fue por el camino y caminó por varias horas.
- El carpintero usó un clavo y lo clavó para colgar el cuadro.
- La maestra dibujó un gato y les dijo a las niñas que hicieran su dibujo.
- Hubo un robo en el banco y el ladrón se robó mucho dinero.

2. Leer las oraciones en voz alta y pedir a los estudiantes que toquen en su mesa con el puño cerrado y con fuerza al oír la palabra con la sílaba que lleva tilde.

3. Involucrar a los estudiantes en discusiones acerca de las diferencias entre las palabras. Se les pueden dar fragmentos de oraciones para conversar:

- _____ lleva acento en la...
- _____ quiere decir...
- Un/Una _____ es un/una...
- La palabra _____ lleva acento en la _____ y significa ...

4. Leer las oraciones poniendo la fuerza de la voz en la palabra de manera incorrecta y preguntar a los estudiantes ¿Suena bien? ¿Se oye igual _____ que ...?

5. Crear oraciones propias con pares de palabras similares como tarea extra.

De acuerdo o en desacuerdo

OBJETIVO

Los estudiantes demostrarán estar de acuerdo o en desacuerdo acerca de textos escritos para informar, entretener o persuadir caminando a diferentes esquinas del salón/aula según los enunciados que oigan.

MATERIALES

Letreros: **Para Informar, Para Entretener, Para Persuadir**.

INSTRUCCIONES

1. Designar 3 esquinas del salón/aula con letreros que digan **Para Informar, Para Entretener, Para Persuadir**.

2. Indicar a los estudiantes que van a oír diferentes enunciados y que tendrán que decidir si los enunciados se refieren a textos escritos para informar, entretener o persuadir y caminarán al espacio del salón/aula designado con dicho letrero.

Por ejemplo:

- El texto trata de convencer al consumidor de que compre un producto.

- El texto da una fecha de cuándo ocurrió el terremoto.

- Este texto contiene un diálogo entre los personajes.

3. Conversar en grupos pequeños y dar ejemplos de estos tipos de texto:

- *El texto es para _____. Un ejemplo es…*

- *Una característica de los textos que _____ es que usan _____ para _____ al lector.*

Me gusta jugar

OBJETIVO
Los estudiantes expresan y siguen las **instrucciones** paso a paso.

MATERIALES
El docente puede tener fotografías o diapositivas de diferentes tipos de juegos/deportes que los estudiantes conozcan.

INSTRUCCIONES

1. Platicar con los estudiantes sobre juegos o deportes que conozcan: Pokemon, lotería, fútbol, baloncesto, etc. Explicar que si no saben las reglas para jugar se les dificultará el juego/deporte y tampoco se podrán poner de acuerdo con sus compañeros/as.

2. Organizar el grupo en equipos y pedir que elijan en secreto uno de los juegos/deportes que conozcan.

3. Solicitar a cada equipo que, por turnos, alguien transmita con mímica (gestos) las instrucciones del juego que hayan elegido (tomando en cuenta las limitaciones del espacio del aula). Los demás estudiantes comentan lo que entendieron de la mímica.
   Pedir a quienes expusieron con mímica, que inmediatamente después digan las instrucciones utilizando palabras de transición: primero, después, luego, finalmente, etc. El docente pregunta:

   - *¿Se entendió lo mismo cuando les explicaron el juego con gestos que cuando lo hicieron hablando?*

   - *¿De qué manera se entiende mejor?*

4. Explicar que hay formas de expresión no verbal, como la mímica, que son útiles para comunicar algunos mensajes, y mencionar situaciones en las que se utiliza con efectividad la mímica (por ejemplo: nos vemos a la salida, voy y vuelvo, tengo hambre, llámame por teléfono, date vuelta a la derecha, etc.). También comenta con los estudiantes las ventajas de la expresión oral para dar las instrucciones de un juego/deporte.

5

Usar vocabulario y materiales visuales específicos para los objetivos

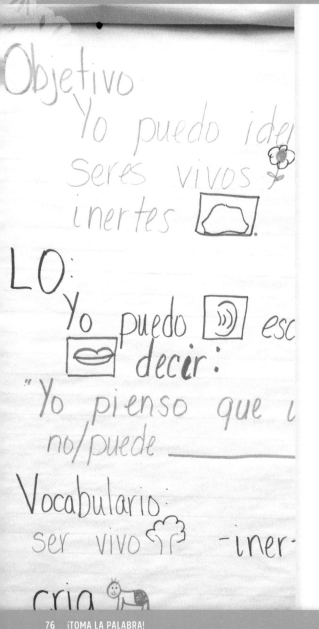

LOS DOCENTES QUIEREN RELLENAR su "morralito de ideas" (bag of tricks) con nuevas herramientas que les faciliten la instrucción. Este paso contiene algunas de esas estrategias adicionales que impactan, sobre todo, a aquellos estudiantes a los que les cuesta más trabajo aprender.

Veamos el uso de materiales visuales y estrategias de vocabulario y cómo pueden ayudarnos a alcanzar nuestros objetivos.

MATERIALES VISUALES

La incorporación de materiales visuales incrementa la capacidad de entender las lecciones y discusiones. Hemos oído decir la frase "una imagen dice más que mil palabras" la cual tiene mucho de razón. El uso de fotografías, imágenes, mapas, dibujos, videos y objetos concretos o realia (objetos reales) hacen accesible el contenido a pesar de que existan posibles barreras como falta de conocimiento previo en la materia o habilidad para entender o hablar el idioma de la lección (inglés o español).

Si, por ejemplo, el objetivo de la lección es mostrar el uso seguro de instrumentos de laboratorio, enseñar fotografías de activi-dades destacando "seguro" y "peligroso" les dará a los estudiantes una idea clara de la diferencia.

Otra idea muy efectiva es el uso de organizadores gráficos. Los organizadores gráficos les proveen a los estudiantes la oportunidad de organizar información, ideas y conceptos para entender el tema de la lección. Probablemente ya los usen en su aula. Sin embargo, cabe hacer hincapié en la importancia de usarlos antes de la lección para dar andamiaje a información nueva, o como una guía anticipatoria para saber cuánto ya sabe el estudiante acerca del tema. De igual manera, su uso durante la lección ayuda a que los estudiantes organicen la información. Después de la instrucción, estos pueden ser usados para conectar el conocimiento previo con la nueva información.

Hay varios tipos de organizadores gráficos. Algunos incluyen mapas conceptuales, diagrama de Venn, cuadros C-Q-A, y cuadros sinópticos entre otros. Al presentar un nuevo organizador gráfico, es importante demostrar su uso y guiar a los estudiantes paso por paso para que sepan cómo usarlo. Con práctica, los estudiantes adquirirán la destreza necesaria para usarlos y crearán sus propias variaciones (algunos organizadores gráficos se encuentran en el apéndice del libro).

Una estrategia adicional que requiere mínima planeación anticipada es "señala y clarifica". Esta estrategia ayuda a aclarar nuevos conceptos. Simplemente se dibuja o se muestra un material visual por cada concepto de la lección. Se puede usar durante un tiempo indefinido para hacer referencia a lo que se ha aprendido en cada lección. Se puede usar como ejemplo una lección de artes de lenguaje en la cual se explican las partes de una historia narrativa.

Nudo

Inicio   **Desenlace**

Los estudiantes pueden utilizar como referencia materiales visuales como el anterior para clarificar conceptos difíciles.

VOCABULARIO

En la sección de oralidad se enfatizó la importancia de incorporar vocabulario académico durante las lecciones. Es necesario clarificar que hay que introducir y mostrar visualmente por lo menos dos palabras de vocabulario, pero no más de 5 o 6. Un par de estrategias que se pueden utilizar son dar un vistazo a las palabras y el proceso de 6 pasos de Marzano, 2009 (más adelante en esta sección).

De acuerdo con Graves (2006) y Zwiers (2013), los aprendientes de inglés necesitan ayuda para desarrollar el vocabulario relacionado con las áreas académicas en su segundo idioma, si es que esperamos que tengan éxito en la escuela. Pero no solo los aprendientes de inglés, sino también los que hablan inglés necesitan apoyo para aprender el vocabulario que se usa en el aula como parte de la instrucción, en las lecturas, en discusiones y en sus tareas diarias (Sibold, 2011). Si los estudiantes entienden el vocabulario que oyen, entenderán mejor el material. Desafortunadamente, aun cuando leer mucho desarrolla el vocabulario, los aprendientes de inglés o estudiantes a los que se les dificulta el aprendizaje no leen lo suficiente para enriquecer su vocabulario.

UN MODELO DE TRES NIVELES

Este modelo tiene tres categorías de vocabulario (Beck, McKeown, & Kucan, 2002).

Nivel 3
área específica
vocabulario técnico
no de uso diario

Nivel 2
palabras importantes para entender el texto
usadas a traves de áreas en el currículo
con significado múltiple

Nivel 1
reconocidas a simple vista (sight words)
básicas o comunes usadas diariamente
para nombrar objetos

1. El primer nivel está compuesto por palabras básicas o comunes;
2. El segundo nivel está compuesto por palabras que se usan a través de áreas en el currículo al igual que palabras con significado múltiple; y,
3. El tercer nivel contiene vocabulario específico de cada materia.

Según este modelo, las palabras del primer nivel son las palabras usadas con mayor frecuencia en un idioma y forman parte del alto porcentaje de las palabras que los estudiantes leen. Palabras como *mesa, nadar, auto, perro,* etc., son algunos ejemplos. Este modelo indica que las palabras de Nivel 1 generalmente requieren de instrucción mínima, pero **¡CUIDADO!** Las palabras de Nivel 1, **SÍ** requieren de instrucción específica cuando se trata de aprendientes de inglés o aprendientes de español. Estos/as estudiantes necesitan primero aprender las palabras básicas o comunes que no poseen en su repertorio de uso diario.

Las palabras del segundo nivel son términos que se usan frecuentemente y que son importantes para leer textos en todo el currículo. Palabras como *analizar, comparar, conclusión,* etc., son algunos ejemplos. Muchas de estas palabras son cognados y son utilizadas en discusiones, exámenes y tareas diarias. Los docentes deben incluirlas en su instrucción de manera explícita tanto para los aprendientes de inglés (ELLs) como para los aprendientes de español (*Spanish Language Learners*, SLLs). También se incluyen en este nivel palabras de significado múltiple, que son difíciles de identificar fuera de contexto. Por eso, es importante proveer a los estudiantes con varios ejemplos.

- *Tengo que ir al **banco** a sacar dinero. (institución financiera)*
- *Siéntate en el **banco** y espera tu turno. (un asiento)*
- *Él agachó la **cabeza** porque le daba vergüenza. (parte superior del cuerpo)*
- *Ella es la **cabeza** de la familia. (persona de mayor responsabilidad)*

- I don't like to see bats flying around. (mammals with webbed wings)
- You need to hit the ball with the bat. (an implement with a handle for hitting the ball in baseball)
- The ring on your finger sparkles. (a small circular band to be worn on a finger)
- You need to ring the bell when you get to my house. (to make a sound)

Las palabras del tercer nivel consisten en palabras usadas con menor frecuencia y son específicamente palabras relacionadas con áreas académicas. Palabras como *centímetro, kilogramo, hipérbola, mitocondria, mitosis, emancipación, dictadura,* etc., son algunos ejemplos. Estas palabras son relativamente fáciles de identificar para los maestros por su conocimiento de la materia, sin embargo, a algunos estudiantes se les dificulta definirlas y explicar su significado porque no son parte del vocabulario de uso diario. Al igual que las palabras de los otros dos niveles, estas tienen que ser parte de la instrucción explícita en el aula para nuestros aprendientes de inglés y español.

Objectivos observables y medibles

OBJETIVOS ACADÉMICOS Y DE LENGUAJE

Los objetivos académicos y de lenguaje son expectativas que se predeterminan y que sirven de guía para impartir la lección. Estos sirven como enfoque para los estudiantes. De igual manera, los objetivos enfatizan lo que el niño va a aprender y va a poder hacer a nivel académico y lingüístico al terminar la lección.

Los estándares estatales y locales proveen lineamientos concretos para que el docente decida qué información va a ser incluida en la lección. Los objetivos efectivos son aquellos que pueden ser medidos y observados.

La siguiente es una reflexión útil para escribir los objetivos:

- *¿Pueden entenderlos mis estudiantes?*

- *¿Están en un lugar visible y son legibles?*

- *¿Los utilizo al presentar y concluir mis lecciones y les pregunto a mis estudiantes si los cumplimos?*

La siguiente fórmula muestra de manera sencilla y paso por paso cómo escribir los objetivos para que sean observables y medibles.

Los objetivos académicos deben ser escritos utilizando el vocabulario que será incluido durante la lección. Si la lección es en español, el objetivo deberá ser escrito en español o en inglés si la lección es en inglés.

INSTRUCCIONES

Objetivo de contenido

Quién/Verbo+TEKS/actividad

El estudiante crea un patrón utilizando fichas/objetos para manipular.

Al poder ver al estudiante crear el patrón, el objetivo es observable y se puede medir hasta qué punto lo ha logrado.

Objetivo de lenguaje

Quién/dominio de lenguaje-ELPS/palabras o frases específicas

El estudiante comparte su patrón oralmente con un compañero diciendo: Mi patrón consiste en ____ fichas _____ y ____ fichas _____.

      (2)   (azules)   (3)   (rojas)

Al poder ver al estudiante compartir con un compañero y usar el fragmento, puedo observar y asegurarme de que está practicando el vocabulario académico.

Es importante recalcar que el uso de fragmentos es un escalón para comenzar. Se usan como andamiaje para practicar el vocabulario a nivel académico, mas no se limita a aquellos estudiantes que poseen vocabulario avanzado y que pueden servir de modelo para otros creando sus propias explicaciones y dando ejemplos diversos.

La escritura de los objetivos académicos y de lenguaje es necesaria no solo para cumplir con los requisitos del estado, sino para dar un enfoque específico a la lección y para asegurarnos de que el estudiante que está aprendiendo inglés pueda lograr las metas de la lección apoyándolo con el uso formal e informal del lenguaje al incluir la oralidad, la lectura y la escritura en todas las áreas académicas.

De manera similar, este apoyo es necesario para los estudiantes aprendientes de español (SLLs) en el aula dual.

¿Cómo escribes los objetivos en tu salón de clase?

¿Cómo determinas el rigor del lenguaje y cómo lo conectas con el área académica?

ALGUNOS VERBOS BASADOS EN LA TAXONOMÍA DE BLOOM

Memoria	Comprensión	Aplicación	Análisis	Síntesis	Evaluación
Contar	Clasificar	Actuar	Analizar	Adaptar	Apoyar
Citar	Calcar	Articular	Bosquejar	Colaborar	Argumentar
Decir	Concluir	Asesorar	Caracterizar	Combinar	Clasificar
Definir	Convertir	Cambiar	Clasificar	Componer	Concluir
Describir	Dar ejemplos	Calcular	Comparar	Comunicar	Criticar
Dibujar	Darle sentido	Coleccionar	Contrastar	Construir	Decidir
Distinguir	Describir	Construir	Correlacionar	Copilar	Defender
Emparejar	Discutir	Contribuir	Debatir	Crear	Diagnosticar
Encontrar	Estimar	Desarrollar	Deducir	Demostrar	Elegir
Enumerar	Explicar	Descubrir	Diferenciar	Desarrollar	Evaluar
Escribir	Generalizar	Determinar	Discriminar	Designar	Interpretar
Etiquetar	Ilustrar	Diseñar	Distinguir	Facilitar	Justificar
Identificar	Interpretar	Dramatizar	Enfatizar	Formular	Juzgar
Leer	Localizar	Elegir	Enfocar	Generalizar	Predecir
Listar	Notificar	Entrevistar	Esquematizar	Individualizar	Probar
Nombrar	Parafrasear	Exhibir	Examinar	Iniciar	Pronosticar
Recordar	Predecir	Extender	Ilustrar	Integrar	Recomendar
Reproducir	Reportar	Implementar	Inferir	Inventar	Verificar
Seleccionar	Resumir	Incluir	Investigar	Modificar	
Señalar	Revisar	Informar	Limitar	Negociar	
Subrayar	Traducir	Participar	Reconocer	Organizar	
		Predecir	Relacionar	Planificar	
		Preparar	Separar	Producir	
		Resolver	Subdividir	Proponer	
				Reacomodar	
				Reescribir	
				Revisar	
				Substituir	

POSIBLES FRAGMENTOS PARA ESCRIBIR OBJETIVOS DE LENGUAJE

Estrategias de aprendizaje El estudiante...

- usa lo que sabe acerca de _____ para predecir el significado de…
- se da cuenta de que puede decir…
- usa _____ para aprender el nuevo vocabulario de…
- usa estrategias tales como _____ para hablar de…

- usa y repite el uso de palabras/frases como _____ en discusiones y redacciones acerca de…
- hace uso de frases como _____ para aprender el significado de…
- usa español formal/informal para describir…
- usa estrategias tales como_____ para aprender el significado de…

Escuchar El estudiante... | Hablar El estudiante...

- reconoce la pronunciación correcta de…
- reconoce los sonidos utilizados en las palabras…
- monitorea la comprensión/pide ayuda…
- usa recursos para aprender/repasar…
- escucha para interpretar el significado de _____ acerca de…
- describe el significado general, los puntos principales y los detalles de…
- identifica las ideas implícitas y la información como…
- demuestra comprensión oral al…

- pronuncia correctamente las palabras _____.
- usa nuevo vocabulario acerca de _____ en cuentos, dibujos, descripciones y/o comunicación en el aula.
- habla utilizando una variedad de fragmentos de oraciones acerca de…
- habla utilizando palabras como _____ acerca de…
- comparte en grupo acerca de…
- pide y da información usando las palabras…
- expresa opiniones, ideas y sentimientos acerca de _____ usando las palabras/frases…
- narra, describe y explica…
- usa español formal/informal para decir…
- responde oralmente a cualquier información usando una variedad de recursos como…

Leer El estudiante... | Redactar/Escribir El estudiante...

- identifica las relaciones entre letras y sonidos como…
- reconoce el concepto de izquierda a derecha en el texto.
- reconoce palabras/frases como…
- usa los apoyos de la lectura exploratoria tales como… para comprender…
- lee material acerca de _____ apoyándose en textos simplificados/ilustraciones/bancos de palabras si es necesario.
- usa materiales visuales y claves de contexto como apoyo cuando lee…
- muestra comprensión del texto en español acerca de…
- demuestra comprensión al leer en silencio utilizando…
- demuestra comprensión de textos como…al usar habilidades básicas como…
- demuestra comprensión del texto/recursos gráficos acerca de _____ al hacer inferencias como…
- demuestra comprensión del texto acerca de _____ al usar habilidades analíticas como…

- aplica las relaciones entre las letras y los sonidos cuando escribe acerca de…
- escribe utilizando nuevo vocabulario acerca de…
- deletrea correctamente palabras en español como …
- corrige errores gramaticales al escribir como…
- usa oraciones simples y compuestas al escribir acerca de…
- escribe usando una variedad de fragmentos de oraciones y selecciona vocabulario como…
- narra, describe y/o explica por escrito …

¿Es posible o imposible?

OBJETIVO

Los estudiantes formulan y expresan sus opiniones en torno a distintos temas.

MATERIALES

Ocho tarjetas por equipo. La mitad de las tarjetas tendrá verbos en infinitivo: jugar, correr, leer, estudiar, llorar, trabajar, lavar, etcétera, y la segunda mitad sustantivos: niños, bebé, anciano, anciana, mamá, papá, hijo, etc.

INSTRUCCIONES

1. Organizar al grupo en equipos de cuatro a seis estudiantes y entregar a cada uno ocho tarjetas (cuatro verbos y cuatro sustantivos). Pedir a algunos estudiantes que expliquen el contenido de sus tarjetas.

2. Construir por equipos oraciones a partir de la combinación de las tarjetas. Acomodarlas por pares, mostrando un ejemplo: bebé-correr o niño-correr, mamá-lavar o papá-lavar. Formar oraciones cuyo signifi-cado sea absurdo, como: "El bebé corre por la calle"., "Los trastes lavan a la mamá"., "La calle corre". y oraciones con un significado posible, como: "La mamá lava los trastes". o "El papá lava los trastes".

3. Leer las oraciones formadas en grupo y explicar si se ha dicho algo posible o imposible. Si señalan acciones que tradicionalmente atribuyen a un género o edad específica, por ejemplo: "La mamá lava la ropa" o "Los papás trabajan" reflexionar al respecto: ¿Solo las mamás deben lavar la ropa? ¿Solo los papás trabajan?

    Si los niños atribuyen a la mamá las labores domésticas, cuestione la posibilidad de atribuir al papá o a los hijos esas mismas acciones. Fa-vorezca entre los estudiantes la argumentación de sus puntos de vista.

4. Pedir a los alumnos que mencionen acciones que no se puedan realizar por la imposibilidad real (un perro lee o un bebé cocina) y otras que pueden realizarse independientemente de la edad o el sexo.

    Esta actividad se puede efectuar en sesiones subsecuentes, combi-nando tres tarjetas para formular oraciones y una vez resuelto de esta manera, puede ampliarse a cuatro tarjetas.

Conectando dos idiomas

OBJETIVO
Los estudiantes identifican patrones en palabras que son iguales o similares en español e inglés.

MATERIALES
Marcadores y cartulina/papel para hacer un cartel.

INSTRUCCIONES
1. Mostrar algunos ejemplos. De esta manera, los alumnos identifican similitudes y diferencias entre el español y el inglés y reflexionan acerca de lo que saben de ambas lenguas.

2. Poner a los estudiantes en grupos de cuatro o cinco y darles una cartulina o pedazos grandes de papel para hacer un cartel.

3. Pedir que elijan uno o dos ejemplos (ivo/ive; oso/ous; mente/ly, etc.) y que escriban sus ejemplos en la parte superior de su cartel.

4. Hacer una lluvia de ideas para crear una lista de palabras indicando las partes de las palabras con diferentes colores. Los alumnos pueden utilizar libros de la biblioteca del aula para encontrar más ejemplos.

5. Sujetar los carteles en la pared al finalizar la actividad y animar a los alumnos a que añadan palabras que se vayan encontrando en futuras lecciones.

Ejemplo de un cartel con listas de cognados	
ivo/ive	oso/ous
atractivo – attractive	glorioso – glorious
intuitivo – intuitive	fabuloso – fabulous
creativo – creative	laborioso – laborious
activo – active	nervioso – nervous
decorativo - decorative	riguroso – rigorous
imaginativo - imaginative	nebuloso - nebulous

Anticipación y repaso

OBJETIVO

Los estudiantes identifican el enfoque de la lección activando el conocimiento previo con explicaciones en su primer idioma (español o inglés).

MATERIALES

Materiales visuales o gráficos con ilustraciones y vocabulario específico.

INSTRUCCIONES

La estrategia de Vista anticipada y repaso es usada en aulas bilingües/duales al igual que en aulas de educación general cuando el docente habla otro idioma (Ulanoff & Pucci, 1993).

Consiste en:

- Dar una vista anticipada de la lección en el idioma dominante de los estudiantes para alertarlos acerca de lo que tratará la lección y para activar el conocimiento previo.
- Al final, después de que se imparta la lección en el segundo idioma, repasar la lección en el primer idioma para resumir los puntos más importantes.

Si la lección es en inglés, la vista anticipada y el repaso se ven de la siguiente manera:

Anticipación y Repaso =
Preview - Review

1. Anticipación

*Niños y niñas, la lección de hoy se trata del ciclo
de vida de la mariposa. Pongan atención a las
palabras que ustedes ya conocen como mariposa,
oruga, pupa, flores y ciclo, y encuentren lo que es
igual o diferente al ver las ilustraciones que les
mostraré durante la lección.*

Butterflies are beautiful insects. You often see them around colorful flow-
ers. The life of a butterfly begins in a special way. First a mother butterfly
lays an egg on a leaf.

A caterpillar hatches from an egg. The caterpillar eat leaves and grows bigger.
Next, the caterpillar spins a covering called a chrysalis.

The caterpillar slowly changes. The insect
grows wings, legs, and antennae.

2. Repaso

Después de la lección, el maestro o la maestro repasa y resume lo importante de la lección.

Maestra/o: *Niños y niñas, ¿qué aprendimos hoy?*
Estudiantes: *Hoy aprendimos…*

Maestra/o: *¿Cuáles son las partes del ciclo de vida de la mariposa?*
Estudiantes: *Las partes del ciclo de vida de la mariposa son…*

Ladrillo o mortero

Esta actividad (adaptada por Zwiers, 2008) consolida la práctica de palabras académicas y palabras conectoras/abstractas. El uso y la práctica de estas palabras ayuda al aprendizaje de conceptos académicos.

De acuerdo con las investigaciones de Dutro y Morán (2003), existen dos tipos de palabras académicas: las palabras que son parte del vocabulario clave de cada lección o palabras de contenido específico (ladrillo) y las palabras académicas o conectoras utilizadas en todas las áreas académicas (mortero). Las palabras académicas normalmente se encuentran escritas en negritas o letra itálica/inclinada en los libros de texto y las enseña el docente de manera específica o con materiales visuales. Ejemplos de estas palabras son:

Matemáticas	vértice, triángulo, línea paralela
Ciencias	célula, metamorfosis, planetas
Estudios Sociales	país, capital, península, llanura
Artes de Lenguaje	personajes, símiles, escenario, adjetivos

negritas = *bold print*
itálica = *italics*

Por el contrario, las palabras mortero o que no son de contenido específico son palabras académicas que se encuentran en libros de texto, exámenes y en discusiones académicas en general. Estas incluyen palabras de transición como: *subsecuentemente, mayormente, en consecuencia, en resumen, en comparación, semejante a, primeramente, en segundo lugar, finalmente, basada en, es representativo de,* etc. Estas palabras con frecuencia son abstractas y sin una definición específica, por lo cual la mejor manera de enseñarlas es usándolas.

Esta actividad les da a los estudiantes la práctica necesaria para lograr construir el entendimiento académico. (También se pueden practicar con el uso de fragmentos de oraciones como se ha indicado anteriormente; ver la lista de fragmentos en la página 158).

OBJETIVO
Los estudiantes practican el uso de palabras académicas (ladrillo) y palabras conectoras/abstractas (mortero) usando fragmentos.

MATERIALES
Tarjetas con palabras ladrillo y mortero.

INSTRUCCIONES
1. Crear una lista de 5 palabras académicas (palabras ladrillo) de una unidad de estudio.
2. Poner a los estudiantes en pares (o equipos) y escribir las palabras en tarjetas o pedazos de papel. Estas son las tarjetas ladrillo.
3. Pedir a los estudiantes que organicen las tarjetas de manera coherente y fácil de entender.
4. Pedir a los estudiantes que enlacen las palabras ladrillo utilizando lenguaje académico. Los estudiantes escriben el lenguaje académico en las tarjetas mortero (o utilizando tiras de papel).
5. Ofrecer a los estudiantes una lista de palabras mortero como apoyo o andamiaje durante esta actividad.

Un ejemplo:

> tiras de papel = *sentence strips*

EL CICLO DE LA MARIPOSA
Lista de palabras de contenido específico (ladrillo)

metamorfosis	pupa	larva	oruga	capullo	crisálida

Lista de palabras y frases sin contenido específico (mortero)

se transforma	después	crece	dentro de	primero
cambia a	comienza	finalmente	entonces	proceso
se convierte	se alimenta	etapa	se llama	emerge

Posibles respuestas del estudiante

1. Una mariposa comienza como una oruga y después se transforma en crisálida. Ahora se llama pupa y emerge de la crisálida como mariposa.

2. La metamorfosis es cuando la oruga se transforma en mariposa. Primero es una larva, después una pupa dentro de una crisálida y después se convierte en mariposa.

OjO

Utilizar palabras académicas en español e inglés (ladrillo/mortero) durante las lecciones les ayuda a los estudiantes a ver las semejanzas y las diferencias entre cognados en ambos idiomas. Si saben la palabra en uno, ya la saben en el otro. No se vuelve a enseñar. Los estudiantes usan su pensamiento de orden superior para hacer las conexiones. Como ya se ha mencionado, el docente debe planear las conexiones metalingüísticas con anticipación dándoles un enfoque específico.

metamorfosis	metamorphosis
crisálida	chrysalis
proceso	process
emerge	emerges

¿Qué tan intensa?

Esta actividad enriquece el vocabulario de los estudiantes y la habilidad para describir con precisión situaciones académicas o narraciones, no solamente utilizando vocabulario académico, sino también haciéndolo de manera acertada. Para esta actividad, el docente provee a los estudiantes tarjetas con palabras sofisticadas. Pueden ser sinónimos (palabras con significado igual o parecido) y/o antónimos (palabras con significado opuesto). Estas palabras se encuentran con frecuencia en los textos que los estudiantes leen en el aula. Se puede utilizar este vocabulario de manera divertida y graciosa.

OBJETIVO
Los estudiantes practican el uso de palabras académicas más sofisticadas y las colocan de manera gradual usando un continuo.

MATERIALES
Tarjetas con palabras.

INSTRUCCIONES
1. Crear seis palabras o más en tarjetas, dependiendo de la edad del estudiante (menos tarjetas para estudiantes más pequeños). Estas palabras son sinónimos/antónimos con diferente grado de intensidad (ver el recuadro en la parte inferior). Se crean varios juegos de tarjetas. Una por cada juego de palabras.

2. Poner a los estudiantes en pares o en grupos de cuatro o cinco.

3. Repartir los juegos de tarjetas.

4. Levantarse y formar una fila enfrente de la clase.

5. Ordenar las tarjetas de MAYOR a MENOR intensidad o viceversa, de manera gradual. Obtener ayuda del resto de la clase.

Por ejemplo, de grande a mucho más grande (se puede demostrar el uso de algunas palabras que tienen la misma intensidad como normal y promedio si los estudiantes se ponen uno detrás del otro):

normal promedio	**grande**	amplio	extra grande	gigantesco	monumental colosal

Para posibles juegos de tarjetas:

enojada	molesta	furiosa	seria	lívida	enfadada	exaltada
feliz	dichosa	contenta	radiante	alegre	satisfecha	encantada
difícil	complejo	arduo	embrollado	imposible	trabajoso	inaccesible
pequeño	minúsculo	chico	diminuto	microscópico	miniatura	bajo

Otras opciones pueden ser: fácil, bonita, grande, difícil, desconocido, flaco, etc.

Seis pasos

OBJETIVO

Los estudiantes identifican palabras académicas y las practican usando contextos específicos.

MATERIALES

Palabras de vocabulario.

INSTRUCCIONES

En los primeros tres pasos se presentan las palabras; en los últimos tres pasos se practican y refuerzan las palabras en un espacio de tiempo prolongado. Una simple traducción de los 6 pasos de Marzano sería: Describir, describir, dibujar, hacer, discutir, jugar.

1. **Describir:** En lugar de dar una definición formal del término, el docente da una descripción o explicación de la palabra usando ejemplos o materiales visuales. La meta es atraer a todo tipo de estudiantes para que aprendan la palabra de una manera más sencilla.

2. **Describir:** Pida a los estudiantes que describan o expliquen el término usando sus propias palabras. Al escuchar o leer las explicaciones o descripciones de los estudiantes, podemos tener acceso a lo que han entendido o podemos ayudarles a que comprendan mejor el vocabulario. Los estudiantes escriben sus descripciones en sus cuadernos como referencia.

3. **Dibujar:** Pida a los estudiantes que ilustren el nuevo vocabulario o término. Pueden hacer dibujos, crear símbolos, hacer caricaturas, buscar imágenes en la red o en revistas. Esto lo pueden hacer de forma individual o en grupos pequeños.

4. **Hacer:** Para darles a los estudiantes práctica adicional con el nuevo vocabulario, hágalos participar en actividades como: identificar prefijos, sufijos, sinónimos, antónimos, cognados o palabras relacionadas y materiales visuales adicionales.

5. **Discutir:** Haga que los estudiantes discutan sobre el nuevo vocabulario conforme trabajan con compañeros o compañeras, o en grupos de tres o cuatro estudiantes. También, controle las discusiones entre ellos/ellas, para aclarar cualquier confusión o duda que tengan acerca del vocabulario.

6. **Jugar:** Haga que los estudiantes participen en juegos para que se logre un profundo aprendizaje del vocabulario. Como ejemplos están los crucigramas, trabalenguas, dígalo con mímica, lotería, basta, etc.

Juego de ¡basta!

OBJETIVO

Los estudiantes identifican la relación entre letras y sonidos al mismo tiempo que repasan conceptos básicos y vocabulario.

MATERIALES

Papel y lápiz o pluma. Los alumnos pueden crear sus propias gráficas (el número de casillas y categorías se adapta según la edad del estudiante).

INSTRUCCIONES

En este juego tradicional:

1. Dividir una hoja de papel en varias columnas con categorías predeterminadas: nombre, apellido, animal, flor o fruto, ciudad, cosa.

2. Un estudiante a la vez dice el abecedario mentalmente y otro le dice "¡Basta!".

3. Indicar (el estudiante que decía el abecedario mentalmente) en qué letra iba y todos comienzan a llenar cada casilla en su hoja con palabras que comiencen con la letra indicada. Por ejemplo, si la letra es S, las palabras pueden ser: Samuel, Sánchez, sapo, sandía, Santiago, sopa. El primero que rellene las columnas correctamente grita "¡Basta!".

4. Continuar jugando varias veces, el ganador de cada ronda es a quien le toca decir la próxima letra del abecedario. Se puede poner a los estudiantes en pares para ayudar a los que no tienen gran domino del idioma.

Letra	Nombre	Apellido	Animal	Flor/Fruto	Ciudad	Cosa
S	Samuel	Sánchez	sapo	sandía	Santiago	sopa

ojo

Como ya hemos mencionado, estamos hablando de estudiantes bilingües. Habrá momentos en que los estudiantes transfieran una variedad de habilidades de su primer idioma al segundo, incluyendo la conciencia fonológica y el conocimiento ortográfico de palabras. El docente debe estar al tanto de que esta transferencia de un idioma a otro puede producir errores en inglés (si el Juego de ¡Basta! se hace en inglés con ELLs) o en español (si se hace con SLLs). Por ejemplo, en cosa con "J" el estudiante puede poner "*jam.*" Estas experiencias no anticipadas pueden servir como un "*teachable moment*" al hacer hincapié en las diferencias y similitudes entre el inglés y el español (August, Calderón & Carlo, 2002).

Fragmentos

Como ya se mencionó anteriormente, otra estrategia que apoya los objetivos académicos es el uso de fragmentos de oraciones. Estos ayudan a que los estudiantes formen oraciones completas para comunicarse y además les ayuda a que se acostumbren a utilizar vocabulario que encontrarán en textos académicos. Por ejemplo, al aprender acerca del estado físico de la materia, decir: *La textura del/de la _____ es...* (*La textura de la piedra es áspera*) les facilita la práctica de la palabra textura. Todo comienza cuando se establece la expectativa. Los estudiantes pueden utilizar fragmentos para responder oralmente o por escrito.

Hay dos tipos de fragmentos de oraciones: generales y específicos. Los fragmentos generales son los que se pueden utilizar en cualquier área. Son usados para saber qué es lo que los estudiantes están pensando, para reflexionar sobre el conocimiento previo que cada uno tiene, dado el tema de la instrucción. Por ejemplo: *Yo ya sé acerca de ..., Yo estoy/no estoy de acuerdo con _____ porque..., Yo aprendí que _____ tiene...*

Al principio, los estudiantes utilizarán fragmentos cuando se les indique, pero con el paso del tiempo, esto se convertirá en parte de la rutina de todos los días.

Al contrario de los fragmentos generales, los fragmentos específicos se enfocan en una materia en particular. Por ejemplo, *Un triángulo tiene _____ lados., La palabra _____ comienza con la letra..., Este texto es para _____ porque trata de...*   El uso de fragmentos generales y específicos es importante porque sirve como andamiaje para la comunicación.

También es de suma importancia usar como guía las preguntas de los exámenes locales y estatales, y ver cómo están estructuradas para exponer a los estudiantes a este tipo de enunciados. Primero se analizan las preguntas y luego se forman los fragmentos.

Pregunta del examen	Fragmentos de oraciones
¿Qué título le pondrías a este párrafo?	Yo le pondría _____ como título.
¿Cuáles de estas figuras son similares?	Las figuras que son similares son _____ y ...
¿Cuál es una característica de un líquido?	Una característica de un líquido es que...

Con el uso estratégico de estos fragmentos para contestar preguntas, podemos modificar la manera en que los estudiantes se expresan. Cuando modificamos su manera de hablar para que en el contexto apropiado usen un lenguaje más formal, les abrimos las puertas a nuevas maneras de pensar y de expresarse. Como resultado, se comunicarán con mayor precisión.

ENSEÑAR	CON...
	Textos y materiales visuales
	Guías y organizadores preparatorios
	Mapas conceptuales
Materiales visuales	Cuadros C-Q-A*
	Cuadros sinópticos
	Cuadros de doble columna
	Líneas de tiempo
	Señala y clarifica
	Preguntas intercaladas
	Listas y actividades
	Raíces, prefijos, sufijos
	Cognados
	Experto/novato
Vocabulario	Clasificar homófonos/homógrafos
	Dar un vistazo a las palabras
	Juego de ¡Basta!
	Describir, describir, dibujar, hacer, discutir, jugar
	Generar palabras
	Pared de palabras
	Fragmentos de oraciones
	FRAGMENTOS GENERALES
	Se utilizan para una variedad de lecciones
	Contienen vocabulario de uso diario
	Ejemplos:
	En mi opinión…
	Una razón podría ser…
Fragmentos	Estoy/No estoy de acuerdo con _____ porque…
	FRAGMENTOS ESPECÍFICOS
	Se usan en lecciones específicas
	Contienen vocabulario específico de la materia
	Ejemplos:
	Yo opino que el primer paso para resolver la ecuación sería…
	La hipótesis estaría correcta si…
	Estoy de acuerdo con la decisión de reciclar porque…

* C - Lo que conozco.
  Q – Lo que quiero saber/aprender.
  A – Lo que aprendí.

PASO

6 Participar en discusiones responsables y estructuradas

EN LA SECCIÓN DE ORALIDAD
previa se pueden encontrar varios
ejemplos de cómo realizar"discusiones
responsables", que les permitan a los
estudiantes compartir entre ellos tanto
ideas como puntos de vista diferentes.
Cuando les indicamos el modo específico
de compartir información, se eliminan
dudas sobre cómo se comparte en grupo.
El término "discusiones responsables"
viene del aula de una maestra de
segundo grado. Ella nos dice:

Esta estrategia de "Discusiones
responsables" no solo ayuda a mejorar el
lenguaje oral, sino también la comprensión
de la lectura, a la vez que ayuda a que ellos
mismos tomen posesión de la lección en
algunas ocasiones.
Hay ganancia tanto para mis ELLs como
para mis SLLs.

**Lucy Christensen,
Kinder Ranch Elementary, Comal ISD**

ojo _____

> Durante las discusiones responsables vemos menos pérdida de tiempo, más estudiantes involucrados, mejor comprensión acerca del tema y menos problemas en el manejo del aula (Seidlitz & Perryman, 2011).

La integración de esta estrategia, conocida en inglés con las siglas QSSSA (*Question, Signal, Stem, Share, Assess*) ha demostrado un efecto positivo en la autoeficacia del docente durante la planeación intencional y su ejecución durante las lecciones diarias (Rogers, 2016). En español, la actividad no tiene siglas específicas. Simplemente se conoce como: Pregunta, señala, usa un fragmento, comparte y evalúa. Durante esta estrategia:

1. El docente hace una pregunta.

2. Los estudiantes responden con una señalización para indicar que están listos para contestar (ver el Paso 4).

3. Usando el fragmento de oración, los estudiantes comparten su respuesta con uno o más compañeros/as.

4 Finalmente, el docente evalúa la calidad de la discusión seleccionando al azar a algunos estudiantes para que compartan con todo el grupo. Los estudiantes también pueden compartir escribiendo y después leyendo sus propias respuestas.

Plantilla = *Template*

PLANTILLA

1. **Pregunta**: ¿Qué es lo más importante al crear un patrón?

2. **Señala**: Pulgar arriba cuando puedas completar el fragmento.

3. **Fragmento**: Lo más importante al crear un patrón es...
   (Esperar a que todos piensen sobre cómo completar el fragmento y muestren la señal o pulgar arriba).

4. **Comparte**: Usando el fragmento, los estudiantes comparten sus respuestas. *(Lo más importante al crear un patrón es seguir la secuencia de los números/colores, etc.).*

5. **Evalúa**: El docente evalúa eligiendo estudiantes al azar (los N.°3 de sus mesas, los que usan lentes, si traes zapatos blancos, etc.).

DISCUSIONES RESPONSABLES Y ESTRUCTURADAS

PREGUNTA	SEÑAL	FRAGMENTO	COMPARTE	EVALÚA
Matemáticas ¿Qué es lo más importante al crear un patrón?	Pulgar arriba cuando puedas completar el fragmento.	Lo más importante al crear un patrón es…	Habla con un compañero/a a tu izquierda/ derecha.	Escoger estudiantes al azar.
Ciencias Sociales ¿Por qué es importante reciclar?	Retira la mano de la barbilla cuando puedas completar el fragmento.	Es importante reciclar porque…	Comparte con la clase.	Escoger estudiantes por número.
Ciencias Naturales ¿Cuál es un ejemplo de precipitación?	Ponte de pie cuando estés listo/a.	_____ es un ejemplo de precipitación.	Habla con un compañero/a a tu izquierda/ derecha.	Escoger estudiantes al azar.
Artes de Lenguaje ¿Cuál es tu predicción?	Pon la pluma en tu hoja cuando termines de escribir la respuesta.	Yo predigo que el texto se va a tratar de…	Compartir en círculo.	Reflexiona/ narra en tu diario.

Expertos/Novatos

Esta actividad se puede utilizar con éxito en las áreas de ciencias y matemáticas porque con frecuencia los estudiantes se confunden cuando necesitan explicar diferentes procesos que requieren varios pasos.

OBJETIVO
Los estudiantes responden a preguntas participando en una simulación.

MATERIALES
Tarjetas con preguntas.

INSTRUCCIONES
1. Crear preguntas que un novato haría.

2. Hacer una lista de posibles respuestas.

3. Tomar el rol de experto (Estudiante A) y el otro de novato (Estudiante B) en una situación particular.

4. Responder a las preguntas que le hace el novato. Es importante hacer una demostración con el grupo antes de que todos participen.

   El procedimiento puede utilizarse en actividades de un nivel cognitivo más bajo, tal como hacer que los estudiantes presenten actividades de nivel más alto, como explicar con mayor detalle y profundidad conceptos de la materia correspondiente.

   El procedimiento también puede utilizarse para demostrar la diferencia entre el lenguaje formal e informal, en el que el experto habla formalmente y el novato informalmente.

5. Ayudar a los estudiantes dando andamiaje con fragmentos de oraciones.

Novato	Experto
¿Cómo encuentras…?	El primer paso para encontrar _____ es…
¿Qué significa…?	Es importante…
No entiendo por qué…	Una explicación puede ser…

Puntos de vista

OBJETIVO

Los estudiantes exponen y defienden sus puntos de vista utilizando una gráfica de dos columnas.

MATERIALES

Gráfica de dos columnas con fragmentos.

INSTRUCCIONES

1. Comenzar escogiendo dos personajes u objetos específicos del tema estudiado. El docente elige a los personajes cuya relación ilustra los conceptos claves de la lección que se quiere enfatizar.

2. Dirigir a los estudiantes para que participen en una lluvia de ideas y describan a cada uno de los personajes.
   - Sus actitudes y creencias acerca de algo.
   - Posibles frases que los personajes podrían utilizar.

3. Emparejar a los estudiantes. Una vez que concluyan con la lluvia de ideas, cada uno hará el papel de uno de los personajes para tener una conversación.

4. Seleccionar voluntarios para que actúen sus diálogos delante de la clase. A esto le sigue una discusión con toda la clase.

Cuidar o destruir los ecosistemas – Estamos/no estamos de acuerdo

Los ecologistas **Es importante conservar los bosques porque…**	Los desarrollistas **Pero es más importante…**
…hay que proteger el medio ambiente.	… urbanizar el área.
…las personas necesitan oxígeno para vivir.	…acomodar a tanta población.
…estamos matando a especies de animales.	…crear carreteras para los automóviles.
…ya existe mucha contaminación.	…agrandar calles y avenidas.

Preguntas "enlatadas"

OBJETIVO

Los estudiantes responden a preguntas basadas en la taxonomía de Bloom (ver fragmentos en el apéndice del libro).

MATERIALES

Preguntas en palitos de paleta o en tiras de papel en una lata.

INSTRUCCIONES

1. Poner a los estudiantes en pares o en grupos de cuatro. Dar una serie de preguntas basadas en un tema para que respondan.

2. Tomar turnos para responder las preguntas. Estas preguntas se hacen de la más fácil a la más difícil.

¿Cuáles son dos formas diferentes de resolver un problema de matemáticas?

- *Dos formas diferentes de resolver un problema de matemáticas son: utilizar un/una _____ y un/una _____.*

¿Cuál es la diferencia entre las dos?

- *La diferencia entre las dos es que cuando utilizas un/una _____ tienes que _____ y cuando utilizas un/una _____ tienes que...*

¿En tu opinión, cuál forma es más efectiva?

- *En mi opinión, utilizar un/una _____ es más efectivo porque...*

La entrevista

OBJETIVO

Los estudiantes realizan una entrevista oral haciendo preguntas y anotando respuestas.

MATERIALES

Guía de preguntas preparadas para la entrevista en un cartel (para ejemplificar) y en sus libretas o en una hoja suelta.

INSTRUCCIONES

1. Preguntar al grupo, "¿Les gustaría jugar al entrevistador? ¿A quién les gustaría entrevistar?". Anotar en el pizarrón o en un cartel las propuestas. Si alguien no sabe lo que es una entrevista, el docente da la explicación y les dice que se puede elaborar una guía de preguntas.

2. Proponer a los estudiantes que elijan a una persona a quien le harían las preguntas. Puede ser un familiar, un maestro, un niño de otro grupo, el conserje, un abuelo o abuela, etc. Una vez que los alumnos hayan elegido, pedir que piensen las preguntas que les gustaría hacer y se las dicten para anotarlas en el cartel o pizarrón; al mismo tiempo, los estudiantes las copian en sus libretas u hojas sueltas.
   • ¿Dónde nació? ¿Dónde naciste?
   • ¿Cuántos años tiene/s viviendo en …?
   • ¿A qué te dedicas? ¿A qué se dedica?
   • ¿Qué te/le gusta hacer en tu/su tiempo libre?
   • ¿Qué consejo les daría/s a mis compañeros/as de clase?

3. Elegir a un estudiante y demonstar cómo se hará la entrevista. Esta puede llevarse a cabo durante las horas lectivas o puede dejarse como tarea para que los estudiantes conversen en sus casas.

4. Compartir sus respuestas en grupos pequeños o en parejas al finalizar las entrevistas y platicar con el grupo sobre los resultados.

Encuéntralo

OBJETIVO

Los estudiantes proporcionan instrucciones para localizar lugares y señalar trayectos.

MATERIALES

Planos de alguna ciudad o mapa de la escuela.

INSTRUCCIONES

1. Preguntar a los niños si conocen planos de algunas ciudades o el mapa de algún lugar, como el mapa de la escuela, si saben para qué sirven y si alguien los ha utilizado.
   Finalmente, si creen que es importante saber utilizarlos o, incluso, saberlos hacer para indicar a alguien como llegar a determinado lugar.

2. Dibujar en el pizarrón o mostrar un plano/mapa de los alrededores de la escuela y darles una copia a los estudiantes. Señalar una calle y decir:
   "Vamos a imaginar que estoy en un lugar determinado y quiero ir a la clínica más cercana, pero no sé cómo llegar. ¿Quién me puede explicar cómo hacerlo?".

   Recordar a los alumnos que las instrucciones deben ser lo más claras posibles, para lo cual pueden utilizar ciertas expresiones o fragmentos:

   • *Cuando llegues a la _____, camina _____ cuadras a la izquierda y al llegar a la _____, dobla a la derecha.*

Dar a los estudiantes palabras de vocabulario como opciones según su habilidad comunicativa.

- Farmacia
- Gasolinera
- Tienda de abarrotes
- Esquina
- Semáforo
- Alto

3. Seguir las instrucciones y marcar la ruta en sus propios mapas/planos con el grupo.

4. Pedir a los estudiantes que marquen un sitio en el mapa de su equipo; después, que escriban las instrucciones para llegar desde ese sitio a otro lugar (la plaza, el mercado, etcétera).

5. Leer en voz alta las indicaciones que escribieron para llegar al lugar que determinaron; mientras, los estudiantes de los otros equipos las siguen ubicándo en el plano/mapa. Si los alumnos que siguen las indicaciones no encuentran el lugar, discutir para saber si la instrucción fue precisa o no se comprendió.

Finalmente, promover la reflexión acerca de la importancia de dar instrucciones claras y precisas, así como de consultar planos o mapas.

PASO 7

Participar en actividades estructuradas de lectura y escritura

LA META DE ESTE PASO ES QUE los estudiantes participen en actividades de lectura y escritura estructuradas por el docente. Es decir, (1) con propósitos bien definidos, (2) con un plan establecido y (3) con un procedimiento a seguir para que los estudiantes obtengan un conocimiento profundo de los conceptos académicos.

LA LECTOESCRITURA

El término *lectoescritura* fue introducido en Latinoamérica en los años setenta (Ferreiro, 1998). Este término refleja la tradición de la enseñanza simultánea de la lectura y la escritura en español, al contrario de la enseñanza pedagógica en inglés, la cual se enfoca primero en enseñar a leer y después en enseñar a escribir. Por eso, es difícil hablar de la lectura olvidando la escritura y viceversa cuando nos referimos a la lectoescritura en español.

De igual manera, hay que recordar que el español, al igual que el inglés, tiene un sistema alfabético. Pero el español, al contrario del inglés, posee una ortografía transparente y no opaca. Es decir, existe una correspondencia casi total entre los grafemas (letras: a, ll, ch, etc.) y los fonemas (sonido de la letra: /a/ o letras: /ll/, /ch/, /rr/, etc.). Aparte, el español es un sistema silábico. El lenguaje hablado está conformado principalmente por sílabas y el sistema escrito se decodifica sencillamente sílaba por sílaba.

El coche es rojo – *El co-che es ro-jo*

Es importante entender que existen diferencias entre enseñar a leer en inglés y enseñar a leer en español. Si no se hace la distinción, se crea la falsa idea de que el estudiante no está a nivel porque no está rindiendo lo suficiente en la lectura en español. Básicamente, recordemos que en español:

- las vocales a, e, i, o, u se enseñan antes que las consonantes;

- no se separan las palabras fonema por fonema sino sílaba por sílaba;

- las habilidades simples de conciencia fonológica (rimas, sílabas) se desarrollan primero; y,

- las más complejas (segmentar fonemas, omitir fonemas) y el principio alfabético emergen de manera simultánea.

Es resumen, "ciertas habilidades de conciencia fonológica se desarrollan como consecuencia de la enseñanza de una escritura alfabética". (Signorini, 1998).

ojo

En varios estados de la nación, existen exámenes para medir la habilidad lectora en español (K-2) que ignoran la estructura transparente del idioma y que enfatizan variables como el conocimiento de fonemas, nombres de las letras, sonidos de las letras, etc., de una manera aislada. Estas habilidades, a su vez, se utilizan como prerrequisitos para aprender a leer. Sin embargo, estas variables NO predicen la comprensión lectora ni dan evidencia suficiente de las habilidades lectoras de los estudiantes (Lara, 2010).

ACTIVIDADES ESTRUCTURADAS DE LECTURA

Todas las actividades de lectura tienen que tener un propósito específico y han de contestar la siguiente pregunta: ¿Por qué quiero que mis estudiantes lean el texto? Hay que pensar en los objetivos académicos y los estándares específicos de cada materia/lección. Por lo tanto, es importante que exista una unión coherente entre el objetivo y el área académica.

Una vez que ya hayamos establecido el propósito, es necesario hacer un plan. Ese plan debe estar basado en las habilidades lectoras de los estudiantes para lo que se debe hacer una evaluación de los andamiajes que se necesitan establecer a fin de que ellos puedan leer de manera independiente.

Las buenas prácticas de enseñanza de la lectoescritura incluyen:

- ejemplificar estrategias utilizadas para el desarrollo de la lectoescritura;

- proveer oportunidades para reflexionar y analizar el desarrollo de la lectura y la escritura haciendo preguntas y observando el desarrollo individual de los estudiantes cuando se enfocan en tareas específicas;

- animar a que los estudiantes expliquen su apreciación y sus opiniones personales utilizando textos auténticos;

- ayudar a los estudiantes con el proceso de lectoescritura utilizando lecturas en voz alta y escrituras en grupo;

- enfocar la atención en las diferentes etapas de la escritura: lluvia de ideas, planeación, borrador, revisión, etc.; y,

- animar a que los estudiantes lean y escriban independientemente, enfatizando la calidad de su trabajo y estableciendo un sistema de apoyo estructurado (Lara, 2010).

A continuación, se muestran varias actividades que

lectura en voz alta = *read aloud*
lluvia de ideas = *brainstorming*
borrador = *draft*

aportan ideas de lo que se puede hacer *antes, durante y después* de la lectura. De la misma manera, algunas de estas actividades presentan estrategias de muestreo, predicción, anticipación, confirmación y autocorrección, inferencia y verificación *antes, durante y después de* la lectura.

Estas actividades pueden ser adaptadas de acuerdo con el nivel escolar del estudiante. Uno de los beneficios para el docente es que estas actividades están escritas en español y contienen objetivos, materiales e instrucciones y no hay necesidad de realizar ninguna traducción.

También se indican en ellas diferentes modalidades como la audición de lectura, lectura en voz alta, lectura compartida, lectura guiada, lectura en parejas, lectura independiente, lectura comentada y lectura de episodios (ver tabla en la siguiente página).

Se espera que la práctica de los términos académicos específicos le sea beneficiosa no solamente al estudiante, sino también al docente.

LA LECTURA EN LA ESCUELA

MOMENTOS	ESTRATEGIAS
Antes de la lectura • Fomentar la lectura • Dar a conocer el propósito • Formular predicciones • Activar los conocimientos previos relativos al tema • Conocer el vocabulario	**Muestreo** Consiste en la selección que hace el lector, de dónde toma del texto, tipografía, palabras, imágenes o ideas que funcionan como índices para predecir el contenido. (Algunos autores la llaman lectura rápida)
	Predicción Predecir el tema del texto, incluso el contenido de un bloque o apartado de un libro, el final de una historia, lógica de una explicación, continuación de una carta, etc. Se requiere previamente del muestreo.
Durante la lectura • Hacer anticipaciones • Relacionar imágenes en el texto • Elaborar inferencias • Llevar a cabo la confirmación y la autocorrección	**Anticipación** Consiste en la posibilidad de descubrir, a partir de la lectura de una palabra o de algunas letras de esta, la palabra o letras que aparecerán a continuación; pueden ser léxico-semánticas (un verbo, un sustantivo, un adjetivo, etc.).
Después de la lectura • Hacer una comprensión global y específica de fragmentos de la lectura o del tema del texto • Hacer inferencias • Hacer una recapitulación de lo leído • Hacer una reconstrucción de los contenidos • Formular opiniones • Hacer una expresión de experiencias y emociones personales • Aplicar las ideas leídas a la vida cotidiana (generalizaciones) • Crear un nuevo texto	**Confirmación y autocorrección** Al comenzar a leer un texto, el lector se pregunta qué puede encontrar en él. A medida que avanza en la lectura, va confirmando, modificando o rechazando la hipótesis que se formuló; también confirma si la predicción o anticipación coincide con la que aparece en el texto.
	Inferencia Permite completar información ausente o implícita a partir de lo dicho en el texto, deducir información, unir o relacionar ideas expresadas en los párrafos, así como dar sentido a las palabras o frases dentro de un contexto.
	Verificación o metacomprensión Consiste en evaluar la propia comprensión, detenerse y volver a leer, encontrar relaciones de ideas para la creación de significados.

Adaptados por la Secretaría de Educación Publica, 2014

MODALIDADES

Audición de lectura
Uno lee, los demás escuchan

Lectura en voz alta
Lectura en atril y lectura de impacto o enfática

Lectura compartida
Con dramatización y canciones

Lectura guiada
Plantear preguntas

Lectura en parejas
(Niños adelantados con los que presentan dificultad)

Lectura independiente o individual
(En voz baja o en silencio)

Lectura comentada
(Al terminar cada párrafo o al final de la lectura, se comenta)

Lectura de episodios
(Cuando la lectura es muy larga y se deja la continuidad para otro momento)

Dar un vistazo

OBJETIVO

Los estudiantes identifican palabras desconocidas dando un vistazo al texto de atrás para adelante.

MATERIALES

Texto.

INSTRUCCIONES

1. Mirar el texto de atrás para adelante, desde la última palabra hasta la primera, con el fin de identificar palabras desconocidas.

2. Generar una lista de 3 a 10 palabras encontradas por los estudiantes.

3. Dar o escribir descripciones breves que estén de acuerdo con su uso en el contexto de la lectura.

4. Practicar a coro la pronunciación de cada palabra y volver a practicar al leer el texto en voz alta con la clase u otros compañeros.

5. Leer el párrafo.

6. Practicar el uso de las palabras durante diálogos en grupo y durante actividades de escritura como la de escribir resúmenes.

OJO

Cuando los estudiantes leen material nuevo, frecuentemente encuentran vocabulario nuevo. Dar un vistazo a las palabras de atrás para adelante antes de leer un texto nuevo no toma mucho tiempo. Esto no solo les da a los estudiantes control sobre lo que tienen que comprender, sino que le da al docente una visión más clara del vocabulario que hay que enseñar según las necesidades de cada grupo en particular. Las listas de palabras que se indican en los textos o que explican los autores de publicaciones no son necesariamente las palabras que los estudiantes necesitan. Siempre es mejor preguntar a los estudiantes cuáles palabras son las que ellos no comprenden, así el docente les da un enfoque específico.

¡Vamos a predecir!

OBJETIVO

Los estudiantes predicen el contenido de un libro por su título y verifican su predicción.

MATERIALES

Libros de diferentes áreas de la biblioteca, con títulos e ilustraciones que hagan clara referencia al contenido: mapas para Geografía; esquemas para Ciencias Naturales; retratos de personajes históricos famosos para Historia; números y algunos cuentos para Matemáticas.

INSTRUCCIONES

Con anticipación el docente solicita a la biblioteca libros sobre el tema en cuestión que reúnan las características necesarias para llevar a cabo la actividad y se acuerda la fecha para la asistencia del grupo a la biblioteca.

1. Explicar a los estudiantes que ellos/ellas saben muchas cosas, pero a veces no se dan cuenta de eso; para demostrarlo les dice que sin abrir los libros que les señala pueden saber de qué se tratan.

2. Mostrar la portada del primer libro y señalar diferentes elementos de la portada preguntando cada vez si ese es el título. Cuando el grupo esté de acuerdo, uno de los niños lo lee (aquí se pueden utilizar señalizaciones para tener participación total). Después se pide a los demás que digan cuál puede ser el contenido del libro. Para ello el docente puede hacer preguntas y usar fragmentos de oraciones.

   - *¿De qué se trata el libro? – Yo predigo que el libro se va a tratar de...*
   - *¿A qué tema se refiere? – El tema del libro se refiere a...*
   - *¿Qué imágenes puede tener? – Puede tener imágenes de...*

3. Promover la revisión del contenido (book walk) del libro cuando se agoten las intervenciones de los niños, para corroborar sus predicciones y pedir que expongan al grupo el resultado de esa discusión.

   - *¿Fue correcta tu predicción? – El libro se trata de _____, así es que mi predicción sí/no fue correcta.*

4. Repetir la actividad con otros libros.

Lectura en episodios

OBJETIVO

Los estudiantes escuchan la lectura de textos con desarrollo amplio y trama compleja.

MATERIALES

Un texto narrativo tal como los de *Esperanza renace, El gigante egoísta, La telaraña de Carlota* o cualquiera del mismo tipo.

INSTRUCCIONES

1. Invitar a los estudiantes a una sesión de lectura, explicar que en esta ocasión leerán una historia larga en varias sesiones, leyendo cada día un episodio.

2. Leer el primer episodio interrumpiendo la lectura en un momento interesante, para que los estudiantes anticipen lo que sigue. Se puede preguntar:

   - *¿Qué creen que pasará?*
   - *¿Qué creen que hará el gigante ahora que la primavera no llega a su jardín?*

3. Hacer con los niños una recapitulación del episodio anterior al siguiente día, antes de reanudar la lectura. Preguntar:

   - *¿Quién quiere comentar de qué trató la lectura ayer?*
   - *¿Alguien se acuerda en qué nos quedamos?*
   - *¿Cómo era el gigante?*
   - *¿Qué hacían los niños en el jardín del gigante?*

   Una vez que se ha hecho el resumen, nuevamente pedir a los niños que anticipen una posible continuación.

   Preguntar al final de la lectura de un episodio si se confirmaron sus predicciones sobre la continuidad de la historia.

4. Pedir a los estudiantes que hagan una recapitulación de lo leído hasta el momento y pedir predicciones de lo siguiente siempre que se inicie un episodio.

   Otra lectura en episodios puede hacerse con un texto de Historia o de Ciencias Naturales.

¿Qué título le pondrías?

OBJETIVO

Los estudiantes descubren la utilidad del título de un texto como indicador de su contenido, poniéndole título ellos mismos.

MATERIALES

Cualquier texto corto o párrafo, uno para cada alumno, pero el mismo para cada equipo; puede ser un texto informativo, narrativo, una poesía o una obra de teatro.

INSTRUCCIONES

1. Leer un texto a los estudiantes y preguntar:

   * *¿Cuál sería el título que le corresponde?*

   Hacer la reflexión acerca de la relación entre el título y el contenido del texto una vez que los estudiantes contesten.

2. Organizar al grupo en equipos y entregar un texto sin título a cada estudiante.

3. Pedir que lo lean juntos y lo comenten poniendo atención en los acontecimientos los personajes, las características o cualquier aspecto que se quiera considerar y que dé pistas acerca de lo que trata el mensaje escrito. Pedir a cada grupo que escriba un título que indique mejor su contenido.

4. Explicar por equipos de qué se trata la lectura y qué hicieron para decidir el título o por qué decidieron ponerle ese título.

   * *Nuestro texto se trata de...*
   * *Decidimos ponerle como título _____ porque...*

   Discutir si el título es apropiado o no y hacer los cambios necesarios. Compartir la evidencia indicando si subrayaron o si hicieron alguna anotación.

5. Leer el título de un cuento y preguntar a los estudiantes:

   * *¿De qué creen que trata este cuento?*

   Proponer la lectura del texto para confirmar sus predicciones.

   Esta actividad puede realizarse en diferentes ocasiones con distintos tipos de texto.

El cancionero

OBJETIVO

Los estudiantes identifican la rima como una forma de composición textual usando letras de canciones infantiles y letras de canciones conocidas.

MATERIALES

Canciones populares infantiles, letras de canciones conocidas. Ahora esto se facilita mucho con YouTube. Es recomendable, utilizar ejemplos de canciones en YouTube con la letra tipo karaoke para que los estudiantes vayan leyendo con la canción.

INSTRUCCIONES

1. Invitar a los estudiantes a que compartan canciones que ellos conocen. También se les pueden mostrar canciones que ellos han cantado en el aula. Las canciones se leen en voz alta o se cantan enfatizando ciertas partes como las rimas o terminaciones de palabras.

La cucaracha (adaptación)

La cucaracha, la cucaracha
Ya no puede caminar
Porque le falta, porque no tiene
Una patita para caminar.

Pobre de la cucaracha
Se queja de corazón
Por no usar ropa planchada
Por la escasez del carbón.

La cucaracha, la cucaracha
Ya no puede caminar
Porque le falta, porque no tiene
Una patita para caminar.

Ya murió la cucaracha
Ya la llevan a enterrar
Entre cuatro zopilotes
Y un ratón de sacristán.

La cucaracha, la cucaracha
Ya no puede caminar
Porque le falta, porque no tiene
Una patita para caminar.

Las mañanitas

Estas son las mañanitas que cantaba el rey David
Hoy por ser día de tu santo, te las cantamos a ti.

Despierta mi bien, despierta, mira que ya amaneció
ya los pajaritos cantan, la luna ya se metió.

Qué linda está la mañana en que vengo a saludarte
venimos todos con gusto y placer a felicitarte.

El día en que tu naciste nacieron todas las flores
y en la pila del bautismo cantaron los ruiseñores.

Ya viene amaneciendo, ya la luz el día nos dio.
Levántate de mañana mira que ya amaneció.

Fuentes: http://www.musica.com/letras.asp?letra=1220805 y
https://en.wikipedia.org/wiki/Las_Mañanitas

2. Al finalizar las canciones, hacer preguntas a los estudiantes sobre:

- *¿Qué es una rima?*

- *¿Qué palabras encontramos que riman?*

Si los estudiantes se traban, explicar que las rimas son palabras con terminaciones iguales o sonidos iguales o muy parecidos. Señalar ejemplos de rimas y permitirles trabajar en parejas o en grupos pequeños.

Como tarea extra, hacer un cancionero para toda la clase añadiendo canciones diversas que se puedan utilizar en un futuro para identificar otras cosas como símiles, metáforas, personificación, etc.

Lectura en pareja

OBJETIVO

Los estudiantes leen un texto para identificar el propósito establecido por el docente – características de un personaje, causa y efecto, detalles, repetición de palabras, palabras con afijos, palabras académicas, etc.

MATERIALES

Texto en el que puedan hacer anotaciones, resaltadores o tarjetitas para anotar información.

INSTRUCCIONES

1. Asignar un texto a los estudiantes para que lean en pares. Poner a los estudiantes en pares teniendo en cuenta sus habilidades lectoras (alto-bajo o similar), pero sin que sean totalmente contrapuestos.

2. Establecer un propósito para leer el texto. Esto les indica a los lectores que tienen una tarea específica mientras leen y que deben dar un tono académico a la discusión que tendrán mientras leen y cuando terminen de leer.

3. Estructurar el texto para que los estudiantes tomen turnos al leer. Por ejemplo: el primer lector lee el primer párrafo y el segundo lector lee el segundo párrafo, o el primer lector lee la primera página y el segundo lector lee la segunda. Si el texto es muy cortito y simple, y se trata de lectores emergentes, el primer lector lee una oración y el otro lee otra oración.
   *Tomar turnos ayuda a que los estudiantes se sientan seguros al leer y los anima a hacer lo mejor que puedan.

4. Colaborar oralmente para verificar la comprensión lectora después de que uno lee en voz alta y el otro escucha la lectura con atención.

   - *Tú leíste acerca de...*
   - *Leíste que _____ es _____, así es que esa es una característica del personaje.*
   - *Creo que _____ es un detalle del cuento.*
   - *Lo que leíste va con nuestro objetivo porque mencionaste...*

*Los fragmentos se adaptan según el propósito de la lectura y de acuerdo con la habilidad oral de los estudiantes del grupo.

*Es muy beneficioso repartirles tarjetas con los fragmentos ya escritos para que las discusiones entre los estudiantes sean precisas. Si los estudiantes saben hacerlo, ellos mismos pueden escribir los fragmentos en sus libretas.

Lectura libre y voluntaria

(Free Voluntary Reading)

OBJETIVO
Durante un espacio de tiempo estructurado, los estudiantes leen textos que ellos han seleccionado.

MATERIALES
Varios textos.

INSTRUCCIONES

1. **Los estudiantes identifican los temas que les interesan.** Utilizar herramientas como encuestas personales, discusiones en el aula y lluvias de ideas para identificar temas que les interesan a los estudiantes.

2. **Los estudiantes encuentran lo que quieren leer.** Ayudar a los estudiantes a encontrar libros de su interés colaborando con la bibliotecaria, ampliando la biblioteca del aula y explicando a los estudiantes cómo encontrar libros en línea o en la biblioteca local. Es nuestra responsabilidad enseñarles a localizar libros de interés personal. Los libros pueden ser fáciles o difíciles. Lo más importante es que los estudiantes los encuentren interesantes y que los motiven a leer. Pueden ser en inglés o en español.

3. El docente provee el tiempo para leer.

Proveer intervalos de 20 minutos o más durante el día a fin de que los estudiantes tengan tiempo ininterrumpido para leer en silencio. Tal vez al principio los estudiantes sientan que 20 minutos es demasiado tiempo para leer en silencio. Es posible comenzar con intervalos de 5 minutos e ir aumentando el tiempo para establecer el hábito de la lectura.

4. Los estudiantes hacen algo asociado con lo que leen.

Continuar haciendo que los estudiantes escriban reflexiones o resúmenes para que compartan con sus compañeras/os y así mantengan el interés en la lectura. Pueden también crear ilustraciones o tomar apuntes acerca de los libros que leen. También pueden mantener una lista o registro de sus lecturas.

5. Utilizar recursos para aprender a establecer la lectura libre y voluntaria.

Aunque estos recursos se encuentran escritos en inglés, poseen ideas prácticas para establecer la lectura libre y voluntaria en el aula:

- *Free Voluntary Reading* – Stephen Krashen

- *The Book Whisperer: Awakening the Inner Reader in Every Child* – Donalyn Miller

- *The SSR Handbook: How to Organize and Manage a Sustained Silent Reading Program* – Janice Pilgreen

- *Building Student Literacy Through Sustained Silent Reading* – Steve Gardiner

ACTIVIDADES ESTRUCTURADAS DE ESCRITURA

De acuerdo con investigaciones (Ferreiro & Teberosky, 1997), existen cuatro niveles de escritura al enseñar escritura en español: pre-silábico, silábico, silábico-alfabético y alfabético.

Imágenes tomadas de http://www.eljardinonline.com.ar/evoluciondeescritura.htm

	NIVELES DE ESCRITURA	
Presilábico	No hay comprensión del principio alfabético ni correspondencia entre fonema (sonido) y grafema (letra escrita)	(vaca) (hormiga)
Silábico	Se detectan uno o dos sonidos de la sílaba principalmente vocales	AE (CA FE) W'A (ME SA) PO (PA TO)
Silábico-alfabético	Se detectan sílabas en forma completa con vocales y consonantes	PSKDO (PES CA DO) iEO (QUIE RO) U (UN) CAAELO (CA RA ME LO)
Alfabético	Se escribe respetando la lógica alfabética del sistema	OY (HOY) FUIMOS (FUIMOS) AL PARCE (AL PARQUE)

Las buenas prácticas de la enseñanza de escritura incluyen:

- Actividades de escritura basadas en las necesidades de los estudiantes;

- Tareas de escritura definidas con un objetivo específico;

- Enseñanza de las habilidades necesarias para realizar el escrito;

- Andamiaje necesario y específico, basado en el nivel de escritura del estudiante;

- Demostración de la escritura pensando en voz alta;

> verbaliza lo que se piensa
> = *think aloud*

- Establecer conocimiento previo utilizando fragmentos de oraciones como andamiaje; y

- Proveer partes de un párrafo ya creado como el ejemplo en la actividad titulada "Párrafo ambulante" (para aquellos estudiantes que ya están en el nivel alfabético).

Finalmente, hay que decidir estrategias específicas o un proceso definido para reforzar los objetivos. Las actividades de escritura van desde escrituras informales en tarjetitas o papelitos engomados a reportes de investigación con presentaciones.

Párrafo ambulante

OBJETIVO

Los estudiantes escriben un párrafo utilizando tres oraciones con palabras de transición.

Párrafo ambulante =
Roving Paragraph

MATERIALES

Papel y lápiz o bolígrafo.

INSTRUCCIONES

1. Proveer a los estudiantes la estructura de un párrafo utilizando fragmentos de oraciones.

El reciclaje

Es importante reciclar porque...

Aparte...

También...

Finalmente...

2. Completar el primer fragmento únicamente (por ej., *Es importante reciclar porque...*). Sentados en sus mesas/pupitres, al terminar el primer fragmento, los estudiantes se ponen de pie.

3. Hacer la primera rotación buscando a un/a compañero/a con el/la cual compartirán su primera oración. Su pareja, a su vez, utilizará la respuesta escuchada y la añadirá después de la palabra "aparte".

4. Hacer dos rotaciones más con diferentes compañeros y compartir nuevamente la oración original para completar oraciones con las palabras "también" y "finalmente". Escuchar y escribir dos oraciones nuevas para completar 4 en total.

5. Regresar a sus mesas/pupitres para compartir los párrafos en grupos pequeños (3 o 4 estudiantes).

6. Elegir uno de los párrafos para leer en voz alta a todo el grupo.

OJO

El grado de dificultad de los fragmentos, así como el número de oraciones y palabras de transición se determina de acuerdo con el grado y la habilidad de lenguaje de los estudiantes.

Otra versión del cuento

OBJETIVO

Los estudiantes observan los cambios de significado que se producen en un cuento cuando algunas de sus partes – introducción, desarrollo o desenlace – se modifican.

Esta actividad también puede ser utilizada para practicar la escritura.

MATERIALES

Libros de cuentos clásicos.

INSTRUCCIONES

1. Invitar a los estudiantes a contar cuentos y pedirles que elijan uno para cambiarle ya sea la introducción, el desarrollo (uno o varios de los acontecimientos) o el final.

2. Proponerles cambios a los estudiantes. Por ejemplo:

   - De escenario: ¿Qué pasaría si el cuento en lugar de ser en el bosque sucediera en una ciudad grande?

   - De personajes: ¿Qué tal si Caperucita Roja se hubiera encontrado con una bruja en lugar de con el lobo feroz?

   - De desenlace o solución: Si los acontecimientos del cuento se hubieran producido en un lugar distinto o con personajes diferentes, ¿de qué otra manera terminaría el cuento?

   Se les puede permitir a los estudiantes que den su versión del cuento oralmente. Es importante proveerles fragmentos de oraciones y esperar que compartan utilizando oraciones completas.

3. Crear un organizador gráfico para ilustrar las diferencias y similitudes del cuento original y de la versión nueva.

Carta o mensaje electrónico

OBJETIVO

Los estudiantes reconocen las partes principales de una carta y la comparan con un mensaje electrónico.

Esta actividad puede ser utilizada también para practicar la escritura.

MATERIALES

Ejemplos de diferentes cartas.

INSTRUCCIONES

Aunque la práctica de recibir y mandar cartas a través de la oficina de correos o encontrándolas en el buzón no es muy común en estos días, es importante enseñarles a los estudiantes cuáles son las partes principales de una carta. Si no pueden traer cartas que hayan recibido de parientes lejanos, será necesario proporcionar algunos ejemplos.

1. Comentar la utilidad de mandar y recibir correspondencia y posiblemente hacer una comparación de lo que es la formalidad de mandar una carta por correo y de mandar un mensaje electrónico. Explicar cuál es el protocolo, cuánto tiempo tarda en llegar una carta a diferencia de los medios de comunicación electrónicos. De igual manera, explicar cuál de los dos es el más conveniente en determinados casos.

2. Mostrar las diferentes partes de una carta a diferencia de un mensaje electrónico.

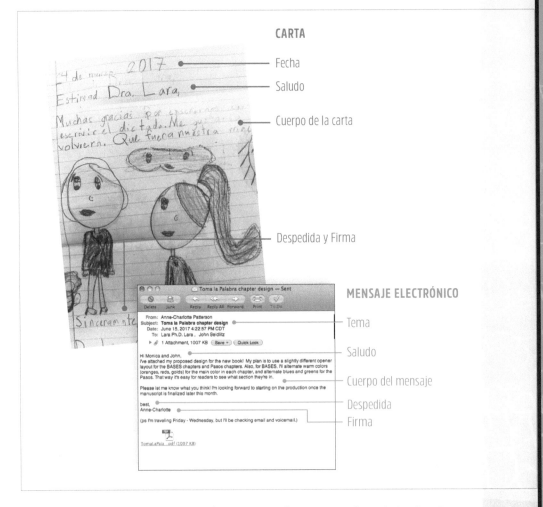

Preguntar: ¿A quién se le mandó la carta o el mensaje electrónico?, ¿de qué se trataba la carta?, ¿cuál era el tema del mensaje electrónico?, etc.

3. Explorar las diferencias: El uso de los sobres, el remitente y destinatario (nombre, dirección), uso de estampillas de correos, tiempo que tarda en llegar, etc., al igual que las semejanzas: de persona a persona, tema, mensaje, propósito, etc.

A resumir: alguien quería pero entonces...

OBJETIVO
Los estudiantes leen un texto para identificar las partes principales y poder resumirlo.

MATERIALES
Texto en el que puedan hacer anotaciones, usar resaltadores y tarjetitas para anotar información.

INSTRUCCIONES
Esta estrategia es similar a la de inglés (Somebody Wanted But So Then, Macon. Bewell & Vogt, 1991). Se puede utilizar durante y al final de la lectura para ayudar a que los estudiantes entiendan los elementos literarios como: nudos/conflictos y soluciones. También les ayuda a resumir información en textos de no ficción como la historia de un personaje importante cuando es relacionada con necesidades de derechos humanos.

• Los estudiantes determinan el personaje principal: alguien

• Su motivación: quería

• El nudo o conflicto: pero

• Y la resolución del conflicto: entonces

ALGUIEN	QUERÍA...	PERO...	ENTONCES...
El lobo feroz	Comerse a los cochinitos	Se escondieron en la casa de ladrillos	Se quedó con las ganas
Martin Luther King	Igualdad para todas las personas	Fue asesinado	No pudo seguir con su campaña de igualdad

El dictado

OBJETIVO
Los estudiantes escriben el dictado y reflexionan sobre lo que escriben.

MATERIALES
- Dictado preferentemente creado por el docente con anticipación y no de un libro publicado. El dictado puede ser ficción o no ficción. Siempre lleva título y fecha siguiendo las reglas ortográficas del inglés o del español según el idioma en el que se haga el dictado.

- Libretas de dictado ("composition notebooks") para cada uno de los estudiantes.

- Un bolígrafo/lápiz y un lápiz de diferente color para las correcciones que hará cada estudiante. Se recomienda no usar crayones de cera sino lápices de madera de color (azul, morado, naranja, etc.).

INSTRUCCIONES
Se espera que, a través de la práctica del dictado, los estudiantes refinen la gramática, la ortografía y las convenciones. Es importante enfatizar la comprensión del texto. A través de los años, el dictado se ha usado de varias maneras. Esta última variante de dictado es representativa de lo que se usa en "Lectoescritura al cuadrado®" (Escamilla et al., 2014) y es una transadaptación al español en este libro.

Asegurarse de que los estudiantes estén bien sentados con ambos brazos sobre el pupitre o mesa. Si los pies les cuelgan, poner directorios telefónicos para que descansen sus pies en una base firme.

Es recomendable realizar esta actividad comenzando el segundo semestre de Kinder (Escamilla et al, 2014).

1. Crear un párrafo basado en las habilidades de lectoescritura, creando un área de enfoque para repaso de los estudiantes.

2. Explicar o recordar a los estudiantes de qué se trata el texto para asegurarse de que lo comprendan.

3. Leer el texto a velocidad normal, frase por frase u oración por oración considerando la edad del estudiante y el grado escolar.

4. Los estudiantes escuchan todo el texto, prestando atención al significado pero sin escribir. En este tiempo en silencio, el estudiante visualiza la ortografía, la gramática y el significado de lo que oye. Cuando están listos para escribir, se les recuerda que es importante saltarse renglones al escribir. Este espacio se ocupa para las correcciones.

5. Leer el texto de nuevo diciendo "Principio de oración". Al decir "Principio de oración", el estudiante recuerda que se escribe con mayúscula. Hacer pausa, agrupando palabras de manera coherente. Por ejemplo, si la oración es El niño salió a la escuela, se puede frasear diciendo: El niño (pausa) salió (pausa) a la escuela y no, El (pausa), niño salió a (pausa), la escuela o algo similar.

   Los estudiantes cuentan las palabras/oraciones al mismo tiempo que las repiten después de la maestra/del maestro, para reconocer que hay espacio entre palabras.

   Al finalizar cada oración, decir "Fin de oración". Al decir fin de oración, el estudiante recuerda que la oración se termina con la puntuación correspondiente.

6. Al finalizar el texto, leer de nuevo la oración o el párrafo para darles a los estudiantes la oportunidad de añadir las palabras que les hayan faltado. Animar a los estudiantes a que hagan lo mejor que puedan. Recordarles que es una práctica de aproximación, mas no de escritura perfecta.

7. Reconstruir el dictado en el pizarrón o en un cartel esperando que los estudiantes colaboren y hagan reflexiones sobre letras mayúsculas, minúsculas, acentos, puntuación, palabras que llevan "ll" o "v" o "c" según el enfoque que se le haya dado al dictado. Este es el paso más importante porque es en el que se hace la reflexión lingüística, gramatical y metalingüística. Aquí los aprendientes de inglés o de español reflexionan acerca de lo que es o no transferible de un idioma a otro (cognados, mayúscula, minúscula, h muda o h con el sonido /j/, etc.). En esta fase, el docente puede comparar y contrastar el uso de los sonidos que se transfieren y los que no se transfieren de un idioma a otro, al igual que las estructuras, la gramática u otros elementos y crear con los estudiantes un cartel de anclaje.

8. Corregir el texto (cada estudiante hace sus propias correcciones) y reescribir la palabra en el renglón en blanco usando un color diferente. Se utilizan marcas de corrección ortográficas convencionales.

Cambiar a mayúsculas	$\underset{=}{a}$
Poner espacios	Yo/veo un niño.
Errores ortográficos	~~Se tacha la palabra~~
Insertar palabras	∧
Corregir puntuación	⊙
Quitar espacios	Ha ~ ber
Para indicar nuevo párrafo	¶

9. Repetir el mismo dictado por lo menos tres veces a la semana (lunes, miércoles y viernes), o diariamente para que se consolide la práctica. Después se pueden alternar los días y los estudiantes se pueden dictar unos a otros.

10. Hacer hincapié en que los estudiantes observen el propio progreso y vean cómo tienen menos errores con la práctica del mismo dictado.

Ejemplo #1 – Durante el dictado en español con ELLs, se verán ejemplos de errores que comete cualquier estudiante que está consolidando reglas gramaticales que incluyen la ortografía, la puntuación, el formato, etc. (El siguiente ejemplo fue corregido por un estudiante y no está terminado en su totalidad).

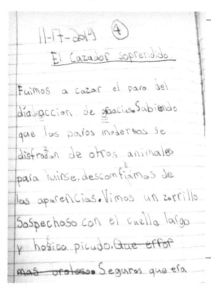

- 11-17-2014 en lugar de 17 de noviembre de 2014.
- El Cazador sorprendido en lugar de El cazador sorprendido: la primera palabra lleva mayúscula pero las otras no en español.
- día acción de gracias en lugar de Día de Acción de Gracias: omisión del artículo "de" y falta de mayúsculas en el nombre de un día especial.

¿Puedes identificar otros ejemplos?

Ejemplo #2 – Durante el dictado en inglés con ELLs, se verán ejemplos de errores que cometen los estudiantes cuando hacen la transferencia lingüística de un idioma a otro.

- move en lugar de movie (porque las vocales en español solo tienen un sonido y no existe el concepto de "dos vocales caminan juntas, la primera suena")
- chrep en lugar de trip (porque a veces al leer de corrido en inglés, no se enfatiza el grupo consonántico y es substituido por la "ch")
- for en lugar de fort (porque a veces al leer de corrido en inglés, la "t" no se enfatiza y no se oye)

¿Puedes identificar otros ejemplos?

RESUMEN DEL PROCESO DEL DICTADO

Durante el dictado	
Lo que hace el docente	**Lo que hace el estudiante**
• Lee el dictado haciendo hincapié en la comprensión	• Escribe la fecha y el título
	• Entiende el dictado
• Dicta oración por oración o en segmentos manteniendo su significado y diciendo "principio de oración/fin de oración"	• Repite el mensaje (cuenta las oraciones/ palabras)
	• Escribe el dictado
	• Escribe salteando los renglones intermedios
• Relee el dictado	• Lee el dictado con el docente y revisa si no le faltó alguna palabra. Si le faltó, la añade
Durante la reconstrucción del dictado	
• Provee marcas de corrección	• Usa las marcas de corrección
	• Usa un color diferente para corregir su dictado
• Reconstruye el dictado en el pizarrón o en un cartel cada día que se hace el dictado	• Se fija en cómo se escribe el dictado y hace las correcciones necesarias.
• Resalta los puntos de enfoque	
• Involucra a los estudiantes para que dialoguen acerca del conocimiento metalingüístico	• Se involucra y dialoga acerca del dictado y su conocimiento metalingüístico
• Tarda 15-20 minutos en hacer el dictado	
• Usa el mismo dictado durante la semana (3-5 días)	
• Relee el dictado completo	• Relee el dictado con el docente
Dictados con propósito específico	
• Crea dictados significativos basándose en las necesidades de los estudiantes en inglés y en español	• Hace la autocorrección
• Incorpora 2-4 puntos de enfoque (siempre incluyendo ortografía y puntuación)	• Sabe cuáles son los puntos de enfoque
• Responsabiliza a los estudiantes y califica el dictado final	• Reflexiona acerca del propio progreso
	• Comienza a implementar lo aprendido en otras tareas
• Desarrolla el conocimiento metalingüístico de un lenguaje a otro	• Desarrolla el conocimiento metalingüístico
• Hace conexiones explícitas entre lenguajes	

Adaptación/Traducción de Escamilla et al., 2014

Desde que comencé a hacer el dictado con mis estudiantes, el comportamiento cambió de inmediato, debido a que el dictado consiste en escuchar, repetir y escribir. Con el dictado, la mayoría de mis estudiantes han mejorado mucho en la lectura.

María Camarena, 1.er Grado, Maestra Bilingüe, Clint ISD

Tercera parte

Apéndice

PLANES PARA LECCIONES EN EL AULA BILINGÜE

GRADO: _____   **TEMA:** _____

MATERIA: _____   **FECHA:** _____

Objetivo académico (alineado con los estándares estatales: TEKS, Common Core, etc.):	**Objetivo de lenguaje** (alineado con los estándores estatales de lenguaje: ELPS, WIDA, etc.):
Vocabulario:	**Materiales visuales y textos:**

Actividades

Activar el conocimiento previo
(Procesos, fragmentos, y estrategias)

Verificar que el estudiante haya entendido cada paso usando: *(Señales, narraciones, trabajos del estudiante.)*

Desarrollar vocabulario y conocimiento del concepto
(Procesos, fragmentos, y estrategias):

Discusiones responsables y escritura
(Procesos, fragmentos, estrategias):

Repaso y autoevaluación:

Grado: **Tercero**   Tema: **Uso de ilustraciones**

Materia: **Lectoescritura**   Fecha: **Este año escolar**

Objetivo académico (Comprensión y análisis de textos literarios.) El estudiante utiliza evidencia textual para apoyar su comprensión.	**Objetivo de lenguaje** El estudiante habla utilizando nuevo vocabulario acerca de…
Vocabulario: fotografía, ilustraciones, evidencia textual	**Materiales visuales y textos** Textos ilustrados de cuentos, periódicos, revistas, etc.
Actividades **Activar el conocimiento previo** (Procesos, fragmentos y estrategias) Se hacen equipos de 4 o 5 niños y se enumeran las cabezas. Pregúnteles si les gusta ver las ilustraciones de los libros, periódicos y revistas y para qué sirven . Los niños comparten sus ideas/opiniones utilizando los fragmentos: • A mí me gustan/no me gustan los libros con ilustraciones porque… • Las ilustraciones sirven para… • Las fotografías de un periódico enseñan… • Yo pienso que las ilustraciones sirven para… **Construir vocabulario y conocimiento del concepto** (Procesos, fragmentos, y estrategias): En su grupo, los niños utilizan diferentes materiales y relacionan las ilustraciones con secciones de la lectura.	**Verificar que el estudiante haya entendido cada paso usando:** (Señales, narraciones, trabajos del estudiante.) • Los estudiantes utilizan fragmentos de oraciones para compartir lo que saben (Paso 6: Conversaciones responsables) *Docente: Piensen en la pregunta antes de contestar. Levanten la mano cuando puedan completar el fragmento. Cuando les indique, compartan en grupo comenzando con el estudiante #1.* • Los niños levantan la mano para indicar que están listos para compartir sus ideas.

Conversaciones responsables y escritura
(Procesos, fragmentos, y estrategias):

Oriente los comentarios de los niños, tratando de que descubran la función de las ilustraciones en los diferentes tipos de texto. Por ejemplo:

Periódico – para ampliar la información

• En este periódico, la ilustración me ayuda a saber… (evidencia, nivel 1)

Cuentos – información no contenida en el texto e incluyen a veces obras de arte

• En el cuento, _____ prueba que… (evidencia, nivel 2)

Instructivo – comprensión de un procedimiento

• En este instructivo, _____me ayudó a saber que_____ porque _____(evidencia, nivel 3)

• Puedo probar que _____con la siguiente información:_____

Repaso y autoevaluación:
Escritura en su diario.

Los estudiantes leen secciones de periódicos, cuentos, instructivos, etc. e identifican el propósito de las ilustraciones. Formulan explicaciones utilizando fragmentos de oraciones.

• ¿Cómo te ayuda la ilustración a saber…?

• ¿Cuál es la prueba de que…?

• ¿Qué te ayudó a saber…?

• ¿Cómo puedes probar que…?

Adaptado de la SEP. 1995.

Grado: **Cuarto**   Tema: **Resolver problemas**

Materia: **Matemáticas**   Fecha: **Este año escolar**

Objetivo académico	Objetivo de lenguaje
(Números, operaciones y razonamiento cuantitativo.) El estudiante utiliza la multiplicación para resolver problemas.	El estudiante usa oraciones simples y compuestas oralmente y por escrito, acerca de cómo se resuelven problemas usando multiplicaciones.
Vocabulario: multiplicar, por, en total, el precio final, producto, tabla.	Materiales visuales y textos Tabla con información para cada grupo

Actividades

Activar el conocimiento previo
(Procesos, fragmentos y estrategias)

- Se organiza el grupo en parejas y se les reparte una tabla con los datos indicados (PRODUCTO, ORIGEN, PRECIO).
- Se explica que existe un supermercado muy grande en donde se venden la mayoría de los productos alimentarios procedentes de diferentes lugares.
- Se plantean preguntas para situar a los estudiantes y para hacerlos reflexionar acerca de productos locales o importados de otro país.

Construir vocabulario y conocimiento del concepto
(Procesos, fragmentos y estrategias)

- En su grupo, los niños utilizan una tabla con información.
- En seguida se plantean preguntas que deberán contestar usando la tabla.

Conversaciones responsables y escritura
(Procesos, fragmentos estrategias)

- En México, ¿cuántos productos llegan de otros países?
- ¿Dónde se produce el frijol bayo?
- ¿Cuántas libras contiene cada costal?
- ¿Cuánto cuesta un costal de lenteja chica?
- ¿Cuál costal cuesta más, el costal de frijol negro o el costal de garbanzo?

Verificar que el estudiante haya entendido cada paso usando: (Señales, narraciones, trabajos del estudiante.)

- Los estudiantes utilizan fragmentos de oraciones para compartir lo que saben
- ¿Qué productos llegan a la tienda de otros países?
- Un producto que llega a la tienda de otros países es…
- ¿Qué se produce en este país?
- En este país se produce…

Los estudiantes leen la tabla y formulan explicaciones utilizando fragmentos de oraciones.

- Llegan _____ productos a México de otros países.
- El frijol bayo se produce en…
- El costal de ____ contiene ____ libras.
- Un costal de lenteja chica cuesta…
- El costal de ____cuesta más/menos que el costal de…

Se plantea un problema y se les indica a los estudiantes que se buscará la manera de resolverlo utilizando multiplicaciones.

Don Fernando tiene una tienda y necesita comprar los siguientes productos:

8 costales de garbanzo, 6 costales de lenteja grande,

7 costales de haba, 12 costales de frijol bayo,

9 costales de maíz blanco

¿Cuál será el precio final que deberá pagar Don Fernando?

Repaso y autoevaluación:
Escritura en su diario.

Los estudiantes explican por escrito cómo resolvieron el problema utilizando fragmentos como:

• El procedimiento que utilicé para resolver el problema fue...

• Primero tuve que ____ y luego multiplicar_____ y ____ para sacar el precio final.

• La tabla me sirvió para ____ porque...

Los estudiantes explican por escrito cómo resolvieron el problema utilizando fragmentos como:

• El procedimiento que utilicé para resolver el problema fue...

• Primero tuve que ____ y luego multiplicar_____ y ____ para sacar el precio final.

• La tabla me sirvió para ____ porque...

PRODUCTO	ORIGEN	PRECIO (DE UN COSTAL DE 100 LIBRAS)
Frijol bayo	Zacatecas	$6.00
Frijol negro	Jalisco	$9.00
Maíz blanco	Nayarit	$3.00
Alubia chica	Puebla	$10.00
Alubia grande	Edo. de México	$11.00
Garbanzo	Sinaloa	$11.00
Haba	Viene de otro país	$8.00
Lenteja	Viene de otro país	$8.00

Adaptado de la SEP. 1995.

Grado: **Quinto**　　　Tema: **Cuidar o destruir los bosques y las selvas**

Materia: **Ciencias**　　　Fecha: **Este año escolar**

Objetivo académico	Objetivo de lenguaje
El estudiante pronostica los efectos de los cambios en los ecosistemas causados por los seres humanos usando un texto.	El estudiante utiliza nuevo vocabulario acerca de los ecosistemas y escribe un resumen en su diario.

Vocabulario: pronosticar, efectos, ecosistemas	Materiales visuales y textos Textos ilustrados de diferentes ecosistemas: bosques, selvas, océanos, etc.; fotografías de productos reciclables y basureros.

Actividades
Activar el conocimiento previo
(Procesos, fragmentos y estrategias)

- Explique que con el propósito de hacer habitables ciertos lugares, los seres humanos han desviado ríos, han modificado el clima y han acabado con muchas especies de animales y vegetales. Indique que de acuerdo con los ecologistas, es importante:

  - evitar la quema de los bosques

  - reciclar plásticos, vidrio y papel

  - reducir la basura

  - no contaminar el ambiente

Sin embargo, el grupo de desarrollistas dice que es necesario:

  - construir viviendas y carreteras

  - dar empleos

  - utilizar la madera para la construcción

Verificar que el estudiante haya entendido cada paso usando:
(Señales, narraciones, trabajos del estudiante.)

- Los estudiantes utilizan fragmentos de oraciones para compartir lo que saben (Paso 6: Conversaciones responsables)

Docente: Piensen en la pregunta antes de contestar. Levanten la mano cuando puedan completar el fragmento. Cuando les indique, compartan en grupo comenzando con el estudiante #1.

¿Qué se puede hacer para no alterar los ecosistemas?

- Para no alterar los ecosistemas podemos…

¿Qué actividad humana causa la destrucción de los ecosistemas?

- En mi comunidad, he notado…

Construir vocabulario y conocimiento del concepto (Procesos, fragmentos y estrategias)

DEBATE: ¿Cuidar o destruir los bosques?

Organice tres equipos:

1. Los ecologistas: defenderán ante todo la conservación de los bosques, selvas y animales.

2. Los desarrollistas: consideran que no es posible detener el uso de la madera

3. La sociedad: tomará la decisión adecuada según los argumentos de los ecologistas y los desarrollistas.

Los estudiantes formulan explicaciones utilizando fragmentos de oraciones.

- ¿Realmente se están acabando los bosques?

- En nuestra opinión, estamos/no estamos de acuerdo con…

- Es necesario cuidar los ecosistemas porque…

- ¿Cuál es la prueba de que se están acabando los bosques?

- Si seguimos ____, probablemente causaría…

- ¿Por qué no buscar alternativas para obtener energía?

CUIDAR O DESTRUIR LOS ECOSISTEMAS	
Estamos/no estamos de acuerdo	
Los ecologistas	Los desarrollistas
•	•
•	•
•	•

Repaso y autoevaluación:

El estudiante explica lo aprendido en su diario utilizando los mismos fragmentos.

- ¿Qué te ayudó a saber…?

- ____ me ayudó a saber ____ porque…

- ¿Cómo puedes probar que…?

- Después de oír al grupo de los ____ yo opino que es importante…

Adaptado de la SEP. 1995.

ORTOGRAFÍA BÁSICA

Las cinco vocales

	Fuertes			Débiles
	A			**I**
E		**O**		**U**

Los diptongos se forman combinando una vocal *fuerte* y una vocal *débil* o combinando dos débiles.

Combinando vocal fuerte y débil	Combinando vocal débil y débil
au – aurora, pausa	iu – ciudad, triunfar
ie – miedo, nieve	ui – cuidado, ruido
ia – piano, magia	
ue – muerte, cuenta	
ai – bailar, paisaje	

Dos vocales fuertes juntas no forman un diptongo.

peón	pe-ón
aéreo	a-é-reo
poeta	po-e-ta
caos	ca-os

Reglas de acentuación

Acento ortográfico o tilde

Aguda	Llevan acento en la última sílaba. Terminan en n, s o vocal (mamá, corazón, café, menú, aquí, canción, etc.)
Grave/llana	Llevan acento en la penúltima sílaba si terminan en consonante que no sea n o s (fácil, móvil, árbol, lápiz, dólar, cáncer, etc.)
Esdrújula	Llevan acento en la antepenúltima sílaba (miércoles, sábado, México, lámpara, cámara, dígamelo, etc.)

Todos los adverbios que terminan en -mente llevan acento si el adjetivo del que se derivan lleva acento, pero se escribirán sin acento si el adjetivo no lo lleva.

único	únicamente
común	comúnmente
principal	principalmente
ansiosa	ansiosamente

Las letras mayúsculas sí llevan acento.

MÉXICO	SEGUNDA EDICIÓN
ÁLVAREZ	ÁNGEL

Las palabras usadas para hacer una pregunta también se acentúan.

¿Quién?	¿Cómo?		¿Cuánto?
¿Cuál?	¿Cuándo?	¿Dónde?	¿Qué?

Los pronombres personales que sí llevan acento ortográfico.

Dámelo a **mí**.	A **él** no le importa.	**Tú** puedes.	Se dijo a **sí** mismo.

El uso de la c

Fuerte con *a, o, u*	Suave con *e, i*
casa, cama	centavo, centro
cosa, coma	cielo, cien
cuna, cuento	

El uso de la *g suave*

Con la *a*	Con la *o*	Con la *u muda*
gato	goma	guerra
gas	gota	guitarra

El uso de la *g suave* con la diéresis *(ü)*

La diéresis clarifica la pronunciación de algunas palabras.

Cuando se pronuncia la u con:	
La *güe*	La *güi*
vergüenza	agüita
cigüeña	paragüitas

Reglas generales de gramática

Reglas	Ejemplos	
Usar *m* antes de *p* y de *b*	amplio cumplo columpio lámpara	ambulante también tambor temblor
Usar *z* si el plural termina con *ces*	lápices – lápiz jueces – juez nueces – nuez	peces – pez voces – voz veces – vez (de tiempo)
Usar mayúsculas para:		
Los nombres propios	Persona: Marta Apellido: Martínez Ciudad: Morelia	País: México Continente: América
Las abreviaturas	Doctor: Dr. Licenciado: Lic. Ciudad: Cd.	
Después del punto	Ayer fui al zoológico. Vi jirafas y elefantes.	
Al contrario del inglés, lo siguiente no se escribe con mayúscula a menos que venga después de puntuación:		
Los gentilicios	francés alemán	castellano español
Los nombres de tribus	apaches aztecas incas	
Los días de la semana	lunes martes miércoles	
Los meses del año	enero febrero marzo	
Las estaciones del año	primavera verano	otoño invierno
solo se escribe con mayúscula la primera palabra en los títulos de los libros	*La casa adormecida* de Audrey Wood *¿Qué puedes hacer con una paleta?* de Carmen Tafolla	

En español existen solo dos contracciones

A el – cuando el es artículo y no pronombre	Dale el dinero *al* señor
De el – cuando el es artículo y no pronombre	El libro es *del* niño.

El uso de la *H*

Se escriben con H:

Toda conjugación de los verbos *haber, hacer, hablar, hallar y habitar*

haber	hecho hemos había han hubiste
hacer	hago hace hacemos hice hizo
hablar	hablo habla hablamos hablan hablaría
hallar (de encontrar)	hallo hallamos hallé hallaremos hallaría
habitar	habito habité habitamos habitaría habiten

Las palabras que empiezan con *hipo, hidro, hiper*

hipo	hipódromo
hidro	hidroplano
hiper	hipertensión

Las palabras que empiezan con *hue, hui, hia, hie*

hue	hueco, huelo, hueso
hui	huizache, huida, huipil
hia	hiato
hie	hiedra, hielo

Las palabras que empiezan con *hu más m* más *vocal*

humedad	humo	humano
humildad	humillar	humor

El uso de la *ll*

Se escriben con *ll* las palabras que empiezan con *fa, fo, fu*

fallo	folleto	fullería (trampa)
fallar	follaje	

Las palabras que terminan en illo, illa

chiquillo	natilla
pillo	ardilla
amarillo	pastilla

La mayoría de las palabras que terminan en *alle, elle, ello, ella*

calle	muelle	bello	aquella
valle	fuelle	sello	destella

El uso de la *y*

Los verbos terminados en *uir*	contribuir – contribuyen distribuir – distribuyen construir - construyen
Las palabras con *yec*	proyectar inyectar inyección
Las palabras que comienzan con *yer*	yerno yerba/hierba yerro (de errar o falta)
Después de *ad*, *dis*, *sub*	adyacente disyuntiva subyugar yunta

El uso de la *X*

Las palabras que empiezan con *extra*	extraterrestre extraordinario extraño extrañar
Al principio de palabras con *pla, ple, pli, plo, pre, pri, pro*	explanada explotar expresar exprimir expropiar

El uso de la *b*

Palabras con *ab* y *ob*	abdicar
	abnegado
	objeto
	obstinado
Palabras con *bu, bur, bus, buz*	busco
	burbuja
	burro
	bucear
	buzón
Palabras que terminan en *bilidad*	amabilidad
	disponibilidad
	responsabilidad
Palabras que terminan en *bundo*	vagabundo
	meditabundo
	moribundo
	nauseabundo
Palabras que terminan en *probar*	aprobar
	reprobar
	comprobar
Después de la *m*	combatir
	ambiente
	también
	trombón
	ambulancia

Palabras con *vice* y *villa*	viceversa
	villano
	vicepresidente
Palabras con *lla, lle, llo, llu*	llave
	llevo
	llover
	lluvia
Palabras que terminan en *venir*	convenir
	sobrevenir
	prevenir
	souvenir
Palabras que terminan en *tivamente, tiva, tivo*	definitivamente
	optativa
	preventivo
Nombres de números	veintiuno
	nueve
	vigésimo
	decimoctavo
	veinte
Después de *b, d, n*	obvio
	obviamente
	subversión
	adversario
	adversidad
	convicción
	convención
Palabras de ciencias	carnívoro
	herbívoro
	omnívoro

 Hay que recordar que los usos mencionados se aplican a gran parte de las palabras pero que también existen sus excepciones.

Usar "s" o no al final de los verbos

Los verbos en tiempo pasado (pretérito perfecto simple del indicativo) usados en segunda persona NO llevan s al final.

Correcto	Incorrecto
trajiste	trajistes
dijiste	dijistes
viniste	vinistes
comiste	comistes
estuviste	estuvistes

Puntuación

Español	Signo	English
punto	.	period
coma	,	comma
apóstrofe	'	apostrophe
punto y coma	;	semi-colon
dos puntos	:	colon
comillas	" "	quotation marks
paréntesis	( )	parenthesis
corchetes	[ ]	brackets
llaves	{ }	brackets/braces
signos de interrogación	¿?	question marks
signos de exclamación	¡!	exclamation marks
puntos suspensivos	…	ellipsis
guion	-	hyphen
guion bajo	_	underscore
raya	—	dash
puntos clave	•	bullets
intercalación	^	caret
texto en negrita	texto	bold
texto tachado	texto	strikethrough/cross out

Otros signos y símbolos

Español	Signo/símbolo	English
arroba	@	at
almohadilla	#	number sign/hash
por ciento	%	percent
asterisco	*	asterisk
y	&	ampersand
diagonal o barra	/	forward slash

Puntuaciones diferentes en español e inglés

Español	English
Signos de admiración – ¡!	Exclamation mark – !
Signos de interrogación – ¿?	Question mark – ?
Tilde ~ y ´	None
Al escribir la fecha, el día va primero, luego el mes con minúscula y al final el año: 9/2/17 – 9 de febrero del 2017	When we write the date, the month goes first with capital letter, then the day, and the year goes last 2/9/17 – February 9, 2017
Se escribe una raya para el diálogo —¡Esta sopa está fría! —exclamó Ricitos de Oro.	Use quotation marks when writing dialogue "This soup is cold!" exclaimed Goldilocks.

Errores comunes	Ejemplos
Subject omission	"Is always a good idea" instead of "It is always a good idea." In Spanish the subject is understood by the way the verb is used. —*Compró fruta (él o ella).*
Syntax (order of the adjective/ noun in a sentence).	"The car red" – *El carro rojo*
Literal translations	"I am agree" – *Yo estoy de acuerdo.*
Pronunciation of words	This and these sound the same and beginning ELLs may stick with writing "this" for both.
Make for Do	"I make my homework." The verb hacer in Spanish means "to make" and "to do."
Mixing up "in" and "on"	"I get on the car. " "I am in time."
Using "the" in front of indefinite plural nouns	"I went to the store to buy the clothes."
Counting non-count nouns	"I bought three breads." (for loaves of bread)
Much for many	"That's much coins." "That's too many sugar."
Have for am	"I have 12 years." – *Yo tengo 12 años.*
/b/ for /v/	"Telebision"

COMPARANDO COGNADOS EN ESPAÑOL E INGLÉS

Ejemplos de palabras que terminan en...

-mente	-ly
explícitamente	explicitly
últimamente	ultimately
claramente	clearly
fundamentalmente	fundamentally
radicalmente	radically
diferentemente	differently
completamente	completely
finalmente	finally
simplemente	simply
recientemente	recently

-or	-or
color	color
olor	odor
adaptador	adaptor
posterior	posterior
aviador	aviator
benefactor	benefactor
emperador	emperor
detector	detector
director	director
motivador	motivator

-dad	-ty
ansiedad	anxiety
vanidad	vanity
piedad	piety
amenidad	amenity
claridad	clarity
fidelidad	fidelity
adversidad	adversity
austeridad	austerity
conductividad	conductivity
cualidad	quality

-ción	-tion
comunicación	communication
interpretación	interpretation
demolición	demolition
adaptación	adaptation
irrigación	irrigation
transportación	transportation
aparición	apparition
función	function
interacción	interaction
corrupción	corruption

-ivo	-ive
atractivo	attractive
interactivo	interactive
positivo	positive
reactivo	reactive
colectivo	collective
intuitivo	intuitive
imperativo	imperative
imaginativo	imaginative
activo	active
decorativo	decorative

-oso/-osa	-ous
montañoso	mountainous
riguroso	rigorous
glorioso	glorious
fabuloso	fabulous
espacioso	spacious
humoroso	humorous
nervioso	nervous
laborioso	laborious
nebuloso	nebulous
luminoso	luminous

-able	-able
presentable	presentable
amigable	amicable
manejable	manageable
irreparable	irreparable
impenetrable	impenetrable
amoldable	moldable
verificable	verifiable
reparable	repairable
favorable	favorable
imaginable	imaginable

Algunos cognados falsos

carpeta – mat, binder, folder	carpet – alfombra
introducir – to put in	introduce – presentar
embarazada - pregnant	embarrassed – avergonzada
éxito – success	exit – salida
librería - bookstore	library - biblioteca
realizar – to accomplish	realize – darse cuenta
atender – to help out	assist - ayudar
actual - current	actually – en realidad
fábrica – factory	fabric - tela
groserías – bad/rude words	groceries - comestibles
globo - balloon	globe – mundo/globo terráqueo

Algunas palabras en *codeswitching/translanguaging* y su equivalente en español

Codeswitching/translanguaging	Español formal
eskipear (to skip)	saltarse
puchar (to push)	empujar
se vino pa' tras (to come back)	se regresó
desborrar (remove wool)	borrar (quitar tiza, tinta o marca)
cortar la yarda (mow the yard)	podar el césped
troka (truck)	camión/camioneta
traila (ráiler)	remolque
los breiks (the brakes)	los frenos
lodear (to load)	cargar
frizar (to freeze)	congelar
aseguranza (insurance)	seguro
rayar	escribir
los biles (the bills)	las cuentas/los adeudos

FRAGMENTOS

Tipo de pensamiento	Nivel	Fragmentos de preguntas	Fragmentos de enunciados
Vocabulario	1	¿Qué significa _____?	_____ significa _____.
		¿Cuál es otra palabra para _____?	_____ es otra palabra para _____.
		¿Cuál es una palabra nueva que viste/oíste?	_____ es una palabra nueva que vi/oí.
		¿Cuál es una palabra que no conoces?	Una palabra que no conozco es _____.
	2	¿Cuándo puedes usar la palabra _____?	Puedo usar la palabra _____ cuando _____.
		¿Qué significa la expresión _____?	La expresión _____ significa _____.
		¿Qué palabras son nuevas para ti en este/a _____?	_____ son palabras nuevas para mí en este/a _____.
		¿Qué palabras usarías para describir _____?	Usaría las palabras _____ para describir _____.
	3	¿Qué crees que probablemente signifique la palabra _____?	Creo que _____ probablemente significa _____.
		¿A qué te recuerda la palabra _____?	_____ me recuerda a _____.
		¿Que crees que significa la palabra _____? ¿Por qué?	Creo que _____ significa _____ porque _____.
		¿Cuál es una manera más/menos formal de decir _____?	Una manera más/menos formal de decir _____ es _____.
	4	Probablemente, ¿cuándo no usarías la palabra _____?	Probablemente no usaría la palabra _____ cuando _____.
		¿Cuál es una situación apropiada para usar la palabra _____? ¿Por qué?	_____ es una situación apropiada para usar la palabra _____ porque_____.
		¿Qué supones que significa _____? ¿Por qué?	Supongo que _____ significa _____ porque _____.
		De las claves de contexto, ¿qué crees que significa _____?	De las claves de contexto, creo que_____ significa _____.

Tipo de pensamiento	Nivel	Fragmentos de preguntas	Fragmentos de enunciados
Causa y efecto	1	¿Cuál es una causa de _____?	Una causa es _____.
		¿Cuál es un efecto de _____?	Un efecto es _____.
		¿Qué conduce a _____?	_____ conduce a _____.
		¿Cuál es un resultado de _____?	Un resultado es _____.
	2	¿Cuál es una causa de _____?	_____ es una causa de _____.
		¿Cuál es un efecto de _____?	_____ es un efecto de _____
		¿Qué ocurre cuando _____?	Cuando _____ entonces _____.
		¿Qué ocurre como resultado de _____?	Como resultado, _____.
	3	¿Qué contribuyó a _____?	_____ contribuyó a _____.
		¿Qué fue lo que provocó _____?	_____ provocó _____.
		¿Cuál es una causa importante de _____?	Una causa importante de _____ es _____.
		¿Cuáles son algunos de los efectos de _____?	Algunos de los efectos de _____ son_____.
	4	¿Por qué _____ contribuyó a _____?	_____ contribuyó a _____ debido a _____.
		¿Cuál fue un efecto a corto plazo/ largo plazo de _____?	Un efecto a corto plazo/largo plazo de _____ fue _____.
		En la mayoría de las situaciones, ¿qué causa _____?	En la mayoría de las situaciones, _____ causa _____.
		¿Qué fue igualmente importante para que _____ causara _____?	Igualmente importante para que _____ causara _____ fue_____.

Tipo de pensamiento	Nivel	Fragmentos de preguntas	Fragmentos de enunciados
Comparación	**1**	¿Cómo es _____?	_____ es _____.
		¿A qué es diferente _____?	_____ es diferente a _____.
		¿Qué dos cosas son semejantes/diferentes?	_____ y _____ son semejantes/diferentes.
		¿Qué tiene solo _____?	Solo _____ tiene _____.
	2	¿En qué se parecen _____ y_____?	_____ y _____ se parecen en que _____.
		¿En qué son diferentes_____ y _____?	_____ y _____ son diferentes en que _____.
		¿Cuál es una manera en que _____ se diferencia de _____?	Una manera en que _____ se diferencia de _____ es _____.
		¿Qué tienen en común _____ y _____?	_____ y _____ tienen en común _____.
	3	¿En qué son similares _____ y _____?	_____ y _____ son similares en que ambos _____.
		¿En qué difieren _____ y_____?	_____ difiere de _____ en que _____.
		¿En qué es único _____?	_____ es único en que _____.
		¿Cuáles son las semejanzas entre _____ y _____?	Las semejanzas entre _____ y _____ incluyen _____.
	4	¿Cuál es una diferencia clave entre _____ y _____?	Una diferencia clave entre _____ y _____ es _____.
		A pesar de _____, ¿en qué se parecen _____ y _____?	A pesar de _____, tanto _____ como_____ tienen/son _____.
		Al contrario de _____, ¿qué contiene/demuestra _____?	Al contrario de _____, _____ es/demuestra/contiene _____.
		Según _____, ¿en qué son similares tanto _____ como _____?	Según _____, _____ y _____ son similares en que _____.

Tipo de pensamiento	Nivel	Fragmentos de preguntas	Fragmentos de enunciados
Evidencia	1	¿Qué información usas para _____?	La información es _____.
		¿Cómo te ayuda la gráfica/ilustración/tabla/artefacto a saber _____?	La gráfica/ilustración/tabla/artefacto me ayuda a saber _____.
		¿Qué lees/ves que te hace pensar _____?	Leo/veo _____.
		¿Por qué piensas _____?	Pienso _____ porque _____.
	2	¿Qué información apoya tu conclusión?	La información que apoya mi conclusión es _____.
		¿Cuál es la prueba de que _____?	_____ prueba que _____.
		¿Por qué predices que _____?	Predigo que _____ porque _____.
		¿Qué evidencia utilizaste para concluir que _____?	La evidencia es _____ y _____.
	3	¿Qué apoya la idea de que _____?	_____ apoya la idea de que _____.
		¿Cuál piensas que es la prueba de que _____?	Pienso que _____ es prueba de que _____.
		¿Que te ayudó a saber _____?	_____ me ayudó a saber que _____ porque _____.
		¿Qué información puedes utilizar para defender tu respuesta?	_____ defiende mi respuesta de que _____.
	4	Según la información que se encuentra en _____, ¿qué puedes concluir acerca de _____?	Según la información que se encuentra en _____, puedo concluir que _____ porque _____.
		¿Qué información corrobora la idea de que _____?	_____ corrobora la idea de que _____.
		¿Cómo puedes defender tu afirmación de que _____?	_____, _____ y _____ defienden mi afirmación de que _____.
		¿Cómo puedes probar que _____?	Puedo probar que _____ con la siguiente información: _____.

Tipo de pensamiento	Nivel	Fragmentos de preguntas	Fragmentos de enunciados
Resumen	1	¿De qué se trata____?	Se trata de _____.
		¿Cuál es la idea principal de _____?	La idea principal es _____.
		¿Cuál es el punto principal en ____?	El punto principal en _____ es _____.
		¿Cuál es la idea general de _____?	La idea general es _____.
	2	¿Cuáles son las acciones/ los argumentos/problemas principales en _____?	Las acciones/los argumentos/ los problemas principales son _____.
		¿En qué son diferentes ____ y _____?	_____ y _____ son diferentes porque_____.
		¿Cómo puedes explicarle _____ a un amigo?	Puedo explicarle ____ a un amigo _____.
		¿Cuál es el significado general de _____?	El significado general de _____ es _____.
		¿De qué se trata principalmente _____?	_____ se trata principalmente de _____.
	3	¿Cuáles son los conceptos claves de _____?	Los conceptos claves de _____ son _____.
		¿Cuál es un enunciado conciso para resumir _____?	Un enunciado conciso para resumir _____ es _____.
		¿Cuál es una forma de recapitular _____?	Una forma de recapitular _____ es _____.
		¿De qué se trata esencialmente _____?	_____ se trata esencialmente de _____.
	4	¿Cuáles son las ideas principales y los detalles importantes en _____?	Las ideas principales y los detalles importantes son _____.
		En tu opinión, ¿cuáles son las ideas más significativas en _____?	En mi opinión, las ideas más significativas en _____ son _____.
		¿Qué incluiría una sinopsis de _____?	Una sinopsis de _____ incluiría _____.
		¿Cuál es un resumen de la información contenida en _____?	Un resumen de la información contenida en _____ es _____.

Tipo de pensamiento	Nivel	Fragmentos de preguntas	Fragmentos de enunciados
Predicción	1	¿Qué piensas que hará _____?	Pienso que _____ va a _____.
		¿Qué piensas que pasará cuando _____?	Creo que _____ es lo que va a pasar.
		¿Cuál es una conjetura inteligente sobre _____?	Una conjetura inteligente sobre _____ es _____.
		¿Cuál es una predicción que puedes hacer acerca de _____?	Una predicción es _____.
	2	¿Qué predices que sucederá después? ¿Por qué?	Predigo que _____ después porque _____.
		¿Por qué podría suceder _____?	Podría suceder _____ porque _____.
		¿Cuál piensas que podría ser la respuesta a _____?	Pienso que _____ podría ser la respuesta a _____.
		¿Qué piensas que podría cambiar _____?	Pienso que _____ podría cambiar _____.
	3	Basándote en _____, ¿qué predices que ocurrirá después?	Basándome en _____ predigo que después va a _____.
		¿Qué predices que ocurrirá si _____?	Pienso que va a _____ si _____.
		¿Qué hipótesis puedes hacer sobre lo que ocurrirá si _____?	Mi hipótesis es que va a _____ si _____.
		¿Cuál piensas que será el resultado de _____?	Pienso que el resultado de _____ será _____.
	4	¿Qué prevés que ocurrirá cuando _____?	Preveo que _____ cuando _____.
		Según la información en _____, ¿qué parece muy probable que ocurra?	Según la información en _____, parece que es muy probable que _____
		Utilizando las pistas en _____, ¿qué predices que ocurrirá? ¿Por qué?	Utilizando las pistas en _____, creo que va a _____ porque_____.
		En la mayoría de los casos, ¿cuál es un resultado típico de _____?	En la mayoría de los casos, el resultado típico de _____ es _____.
		¿Cuál es un resumen de la información contenida en _____?	Un resumen de la información contenida en _____ es _____.

Tipo de pensamiento	Nivel	Fragmentos de preguntas	Fragmentos de enunciados
Interpretación	**1**	¿Qué piensas que significa _____?	Pienso que _____ significa _____.
		¿Qué infieres acerca de _____?	Infiero que _____.
		¿Cuál es una conclusión sobre _____?	Una conclusión sobre _____ es _____.
		¿Qué piensas acerca de _____?	Pienso que _____.
	2	¿Qué piensas que significa _____? ¿Por qué?	Pienso que _____ significa _____ porque _____.
		¿Qué puedes suponer acerca de _____? ¿Por qué?	Puedo suponer que _____ porque _____.
		¿Qué piensas que probablemente signifique _____?	Pienso que _____ probablemente signifique _____.
		¿Qué puedes concluir acerca de _____? ¿Por qué?	Puedo concluir que _____ porque _____.
	3	Basándote en _____, ¿qué puedes concluir acerca de _____?	Basándome en _____, puedo concluir que _____.
		¿Cuál es una inferencia que puedes hacer acerca de _____? ¿Por qué?	Una inferencia que puedo hacer acerca de _____ es que _____ porque _____.
		¿Qué puedes conjeturar acerca de _____? ¿Por qué?	Puedo conjeturar que _____ porque _____.
		¿Qué prueba _____? ¿Por qué?	_____ prueba que _____ porque _____.
	4	Según la información que se encuentra en _____, ¿qué puedes inferir acerca de _____?	Según la información que se encuentra en _____, puedo inferir que _____.
		Aunque no dice explícitamente que _____, ¿qué puedes concluir acerca de _____? ¿Por qué?	Aunque no dice explícitamente que _____, puedo concluir que _____ porque _____.
		Como resultado de _____, ¿qué es necesario _____? ¿Por qué?	Como resultado de _____, _____ es necesario _____ porque _____.
		En conclusión, ¿qué puedes decir que es lo más importante de _____? ¿Por qué?	En conclusión, _____ es lo más importante de _____ porque _____.
		¿Cuál es un resumen de la información contenida en _____?	Un resumen de la información contenida en _____ es _____.

Tipo de pensamiento	Nivel	Fragmentos de preguntas	Fragmentos de enunciados
Evaluación	**1**	¿Cuál crees que es el/la mejor?	Creo que _____ es el/la mejor.
		¿Qué funcionará mejor?	Creo que _____ funcionará mejor.
		¿Cuál es la mejor respuesta?	_____ es la mejor respuesta.
		¿Qué puedes hacer cuando _____?	Puedo _____ cuando _____.
	2	¿Cuál es una buena decisión en esta situación?	Una buena decisión en esta situación es _____.
		¿Por qué es importante _____?	_____ es importante porque_____.
		¿Por qué _____ es la mejor solución?	_____ es la mejor solución porque _____.
		¿Por qué _____ es la mejor estrategia que se puede usar?	_____ es la mejor estrategia que se puede usar porque _____.
	3	¿Qué decidirías en esta situación?	Decidiría _____ en esta situación.
		¿Qué funcionaría mejor la próxima vez?	_____ funcionaría mejor la próxima vez.
		¿Por qué es más probable que _____ _____?	Es más probable que _____ _____ porque _____.
		¿Qué harías si_____?	(Haría) _____ si _____.
	4	Si fueras el juez, ¿cuál sería tu decisión en _____?	Si yo fuera el juez, mi decisión sería _____.
		¿Cómo justificarías tu opinión sobre_____?	Podría justificar mi opinión sobre _____ _____.
		Dado que _____, ¿cuál sería la mejor medida?	Dado que _____, _____ sería la mejor medida.
		¿Cuál fue el argumento más convincente para _____? ¿Por qué?	_____ fue el argumento más convincente para _____ porque _____.
		¿Cuál es un resumen de la información contenida en _____?	Un resumen de la información contenida en _____ es _____.

LISTA DE MORFEMAS LATINOS Y GRIEGOS

PREFIXES/PREFIJOS		
a, ab	away, from, apart, away from – negación	astringent, abnormal, abstain – astringente, anormal, abstinencia,
a, an	not, without – sin	asymmetrical, amoral, anachronism – asimétrico, amoral, anacronismo
ad	to, toward – junto a	adhesion, adjoin – adhesión, adherir
ambi, amphi – ambi, anfi	both - ambos	amphitheater, ambiguous, ambivalent – anfiteatro, ambiguo, ambivalente
ante	before - antes	antecedent, anterior, anteroom – antecedente, anterior, antesala
anti	against - contrario	antipathy, anticlimax – antipatía, anticlimático
bene	good - bien	benevolence, beneficent, benefit, benevolent – benevolencia, beneficencia, beneficio, benevolente
circum	around, round, surrounding – alrededor	circumstance, circumference, circumscribe, circumnavigate – circunstancia, circunferencia, circunscrito, circunnavegar
con, com, co	together, with – junto, con	continue, communal, connection, cooperation, company – continuo, comunal, conexión, cooperación, compañía
contra, counter – contra	against, opposed to – lo opuesto	contraindicate, contradiction, counterplot, counterpoint – contraindicar, contradicción, contraargumento, contrapunto
dis	opposite of, away – negación o contrariedad	disinherit, disperse, dysfunctional– desheredar, disperso, disfuncional
ex	out, out of, away from, formerly – fuera, más allá	exoskeleton, exotic, exterior, exclusion- exoesqueleto, exótico, exterior, exclusión
hyper – hiper	over, above, beyond, excessively – exceso, mayor, superior	hyperactive, hypersensitive, hypertension – hiperactivo, hipersensitivo, hipertensión
hypo – hipo	under, beneath, below – debajo de	hypochondriac, hypothermia – hipocondríaco, hipotermia

PREFIXES/PREFIJOS		
il	not – no	illegal, illogical, illusion – ilegal, ilógico, ilusión
in – in, im	in, into, within – hacia dentro	incision, insertion, infiltrate, inclusion – incisión, inserción, infiltrar, inclusión
in	not - negación	incredible, inhospitable, infinite, incapable – increíble, inhóspito, infinito, incapaz
inter	between, among – entre, en medio	interact, interpret, intervene, intercept, interstate –interactuar, interpretar, intervenir, interceptar, interestatal
intra, intro	within – dentro de	intramurals, intravenous, introduction, introspection – intramuros, intravenoso, introducción, introspección
luc - luz	light – luz	lucid, translucent – lúcido, translúcido
mega	large, great – grande	megawatt, megahertz, megaphone, megabyte – megawatt, megahertz, megáfono, megabyte
multi	many – muchos	multisyllabic, multicolored, multiply, multitude, multivitamin – multisilábico, multicolor, múltiple, multitud, multivitamínico
neo	new – nuevo	neophyte, neolithic, neonatal, neoplasm – neófito, neolítico, neonatal, neoplasma
omni	all – todo	omnipresent, omnipotent – omnipresente, omnipotente
pan	all – totalidad	pandemic, panacea, panorama, pantheism, panic – pandemia, panacea, panorama, panteísmo, pánico
per	through, throughout, over, large, high – a través de	perceive, perfuse, perfect – percibir, perfundir, perfecto,
peri	around – alrededor	periscope, perimeter, periphery – periscopio, perímetro, periferia
poly – poli	many – muchos	polygon, polygamy, polyester, polyethylene, polyglot, polytechnic, polysyllabic – polígono, poligamia, poliéster polietileno, políglota, politécnico, polisilábico
post – pos	after – después de	postpone, postoperative, postnatal, postpartum, post-war – posponer, posoperatorio, posnatal, posparto, posguerra

PREFIXES/PREFIJOS		
pre	before – antes de	prehistoric, preface, prewar – prehistoria, prefacio, preguerra
prim – prim, prin	first – primero	prime, primary, primordial, primitive – principal, primario, primordial, primitivo
pro	in favor of, forward, in place of – en favor de	project, projectile, pronoun – proyecto, proyectil, pronombre
proto	first – prioridad	protoplasm, prototype, protocol, proton – protoplasma, prototipo, protocolo, protón
re	back, again – repetición	repetitive, retraction, revert, repetition, retract, regenerate – repetitivo, retracción, revertir, repetición, retractar, regenerar
retro	back, backward – hacia atrás	retroactive, retrograde– retroactivo, retrógrado
se	away, apart – aparte	segregation, seclusion, secession, sequester – segregación, reclusión, secesión, secuestrar
sub	under, below – debajo de	submarine, subterranean – submarino, subterráneo
super	over, above, beyond – encima de	superfluous, supervise, superman – superfluo, supervisar, superhombre
sym, syn – sim, sin	together, with – unión, sinónimo	symbiotic, symphony, symmetry, symbol, symptom, synthesis, synchronize, synonym – simbiótico, sinfonía, simetría, símbolo, síntoma, síntesis, sincronizar, sinónimo
trans – trans, tra, tras	across, over – al otro lado de	transport, transcend, transition, translate, transmission – transportar, trascender, transición, traducir, transmisión
ultra	excessively – más allá de	ultramodern, ultrasound, ultralight, ultraviolet – ultramoderno, ultrasonido, ultraligero, ultravioleta

ROOTS/RAÍCES		
acer-, acr-	sharp, bitter – amargo	acerbic, acid – acerbo, ácido
alter	other – otro	alternative, alternate – alternativa, alternar
ambul	walk – andar	ambulatory, ambulance, amble, somnambular – ambulatorio, ambulancia, ambular, sonámbulo
amor	love – amor	amiable, enamored – amigable, enamorado,
annu, enni – anu, ani, ene	year – año	annual, annually, anniversary, centennial, perennial – anual, anualmente, aniversario, centenario, perene
anthropo – antropo	man – hombre	misanthrope, philanthropy, anthropology – misántropo, filántropo, antropología
aqua – acua	water – agua	aqueduct, aqueous, aquarium – acueducto, acuoso, acuario
arch – arqui	ruler, chief, first – superioridad	archdiocese, monarch, anarchy – arquidiócesis, monarquía, anarquía
aster – astro	star – estrella	astronomy, asterisk, astronaut – astronomía, asterisco, astronauta
aud, audit – aud	hear, listen to – oído, escuchar a	audiology, auditorium, audition, audience – audiología, auditorio, audición, audiencia
bene	good – bien	benefactor, benevolent, benign, benediction – benefactor, benevolente, benigno, bendición
bibl	book – libro	bibliography, bibliophile, Bible – bibliografía, bibliofilia, Biblia
bio	life – vida	biome, biometrics, biology, biography – bioma, biométrica, biología, biografía
calor	heat – calor	caloric, calorie – calórico, caloría
cap	take, hold – tomar	capable, capture – capaz, capturar
capit, capt – capit	head, chief, leader – cabeza, líder	captain, caption, capital, captor – capitán, capción, capital, captor

ROOTS/RAÍCES		
cardi	heart — corazón	cardiovascular, cardiogram, cardiology, cardiac — cardiovascular, cardiograma, cardiología, cardiaco
carn	flesh — carne	carnal, carnivorous, incarnate, reincarnation — carnal, carnívoro, encarnado, reencarnación
caus, caut	burn — quemar	caustic, cauldron, cauterize, holocaust — cáustico, caldera, cauterizar, holocausto
cause, cuse, cus	cause, motive — causa, motivo	excuse, accusation, because/cause — excusa, acusación, causa
cede, cess	move, yield — lo que sigue, ceder	procedure, concede, precede, successor — procedimiento, conceder, preceder, sucesor
chrom — crom	color — color	chromosome, polychromatic, chromatic — cromosoma, policromático, cromático
chron — cron	time — tiempo	chronology, synchronize, chronicle, chronological — cronología, sincronizar, crónica, cronológico
corp — corpor	body — cuerpo	corporation, corporal — corporación, corporal
crat, cracy — cracia	power, rule — poder, gobernar	democrat, aristocrat, democracy, theocracy — demócrata, aristócrata, democracia, teocracia
cred	believe — creer	credit, credible, incredible, credo — crédito, creíble, increíble, credo
crux, cruc — cruz, cruc	cross — cruz	crucify, crucifix, crucial, crux — crucificar, crucifijo, crucial, encrucijada
crypt — cript	secret, hidden — secreto, escondido	crypt, cryptic, cryptogram — cripta, críptico, criptograma
culpa	blame — culpa	culprit/culpable — culpable
cur, curs	run, course — correr, con frecuencia	concurrent, incur, occur, precursor, cursive, cursor — concurrente, incurrir, ocurrir, precursor, cursivo, cursor
dem	people — gente	epidemic, democracy, demography — epidemia, democracia, demografía
derm	skin — piel	hypodermic, dermatology, epidermis, taxidermy — hipodérmico, dermatología, epidermis, taxidermia

ROOTS/RAÍCES

deus – deid, dios	god – dios	deity, deify – deidad, endiosar
dic(t)	tell, speak – decir, hablar	dictionary, dictation, dictate, dictator, contradict, benediction – diccionario, dictado, dictar, dictador, contradecir, bendecir
dorm	sleep – dormir	dormitory – dormitorio
dox – dox, doj	belief – creencia	doxology, paradox, orthodox – doxología, paradoja, ortodoxo
duc(t)	lead – dirigir	seduce, produce, reduce, induce, introduce, conduct – seducir, producir, reducir, inducir, introducir, conducir
dyna – dina	power – poder	dynamite, hydrodynamics, dynamic, dynasty – dinamita, hidrodinámica, dinámica, dinastía
equ – equi-	equal – igual	equitable, equinox, equilibrium, equivalent – equitativo, equinoccio, equilibrio, equivalente
fer	bear, carry – llevar, conducir	fertile, transfer, refer, infer, defer, aquifer – fértil, transferir, referir, inferir, diferir, acuífero
fid – fid, fed, fi	faith, trust – fe, confianza	fidelity, confederate, confidence, infidelity, infidel, federal – fidelidad, confederado, confidencia, infidelidad, infiel, federal
flu, flux – luj	flowing – fluir	influenza, influence, fluid, confluence, fluently, fluctuate – influenza, influencia, fluido, confluencia, fluctuar
fort – fuert	strong – fuerza	fortress, fortitude, fortify – fuerte, fortaleza, fortificar
fract	break – romper, fisura	refract, infraction, fracture – refractar, infracción, fracturar
frater	brother – hermano/filial	fraternity, fraternal, fraternize – fraternidad, fraternal, fraternizar
gen	race, birth, kind – raza, nacimiento, clase	generate, genetic, eugenics, genesis, genealogy, generation, antigen – generar, genética, eugenesia, génesis, genealogía, generación, antígeno

ROOTS/RAÍCES		
geo	earth – tierra	geometry, geography, geocentric, geology, geothermal –geometría, geografía, geocéntrico, geología, geotermal
greg	flock, herd – rebaño, manada	congregation, congregate, gregarious – congregación, congregar, gregario
gress – gres	go – ir	progress, progression, egress – progresar, progresión, egresar
gyn – gin	woman – mujer	gynecology, gynecologist – ginecología, ginecólogo
hetero	differen – diferente	heterogeneous, heteromorphic, heteronym – heterogéneo, heteromorfo, heterónimo
homo – homeo	same – igual	homogenize, homogeneous, homonym, homeostasis – homogenizar, homogéneo, homónimo, homeostasis
homo	man – hombre	homage, Homo sapiens – homenaje, homo sapiens
hydr – hidro	water – agua	hydrate, dehydrate, hydraulic, hydrogen, hydrophobia – hidratar, deshidratar, hidráulico, hidrógeno, hidrofobia
jac, jec – yec	throw – lanzar	projectile, projector – proyectil, proyector,
lact-	milk – leche	lactose, lactate – lactosa, lactar
junct – junt, yunt	join – unir	juncture, junction, adjunct, conjunction – coyuntura, juntura, adjunto, conjunción
lat	side – lado	lateral, equilateral, unilateral – lateral, equilátero, unilateral
laud – aud	praise – alabanza	applause, laudable, plausible, applaud – aplauso, laudable, plausible, aplaudible
lect – lec	gather, choose, read – recolectar, elegir	collection, lecture, election, electorate – colección, lectura, elección, electorado
leg, legis	law – ley	legislate, legal, legislature, legitimize – legislar, legal, legislatura, legitimizar
lith – lit	stone – piedra/roca	monolithic, megalith, batholith, neolithic – monolito, megalito, batolito, neolítico

ROOTS/RAÍCES

locu, loqu – locu	speak - hablar	eloquent, loquacious, colloquial, circumlocution, elocution – elocuente, locuaz, coloquial, circunlocución, elocución
log, logy – log, logi	speech, word, study of – habla, palabra, estudio de	catalogue, dialogue, prologue, psychology, logical, zoology – catálogo, diálogo, prólogo, psicología, lógico, zoológico
magn(i)	large, great - grande	magnificent, magnate, magnitude, magnum – magnífico, magnate, magnitud, magnum
mal	bad, evil - malo	malnourished, malignant, malicious, malfunction, malcontent – malnutrido, maligno, malicioso, malcontento
man, manu – manu mani	hand - mano	manual, manicure, manacle, maneuver, emancipate, manufacture – manual, manicura, manilla, maniobrar, emancipar, manufacturar
meter, metr	measure - medida	meter, barometer, thermometer, symmetry – metro, barómetro, termómetro, simétrico
micro	small – pequeño	microscope, microwave, micrometer, microbe – microscopio, microonda, micrómetro, microbio
mit, miss – mis, mit, met	send – mandar, enviar	emit, remit, commit, submit, permit, transmit, mission, permission, missile – emitir, remitir, cometer, someter, permitir, transmitir, misión, permiso, misil
mob, mov, mot	move - mover	motor, motivate, emotional, mobile, motivation, emote, immortal – motor, motivar, emocional, móvil, motivación, emitir, inmortal
mute – muta	change – cambio	mutate, mutation, immutable – mutar, mutación, inmutable
nasc, nat – nac, nat	birth, spring forth – nacimiento, cría	nascent, innate, natal, native, renaissance, nativity – naciente, innato, natal, nativo, renacimiento, nacimiento
nihil, ni – ni	nothing – nulo	annihilate - aniquilar

ROOTS/RAÍCES		
noct	night - noche	nocturnal - nocturno
nym – nim	name - nombre	antonym, synonym, acronym, pseudonym, homonym, anonymous – antónimo, sinónimo, acrónimo, seudónimo, homónimo, anónimo
oner, onus	burden - carga	onerous – oneroso
ortho – orto	straight, right, correct – alineado, recto, correcto	orthopedic, orthodontist, orthodox – ortopédico, ortodontista, ortodoxo
pac	peace - paz	Pacific (ocean), pacify, pacifier, pacifist – Pacífico, pacificar, pacificador, pacifista
path – pat	feeling, disease – sentimiento, enfermedad	telepathy, sympathy, antipathy, apathy, pathos – telepatía, simpatía, antipatía, apatía, patología
pecc – pec	fault, sin – falla, sin	impeccable, peccadilloes – impecable, pecado
ped, pod – ped, pe, pie	foot - pie	pedal, pedestrian, impede, centipede, tripod, podiatry, podium – pedal, peatón, impedir, ciempiés, trípode, podología, podio
pel – puls	urge, drive – urgir, conducir	impulse, expel, repel, propel, pulse, repulsive – impulsar, expulsar, repeler, propulsar, pulsar, repulsivo
pend – pen	hang – colgar	pendulum, pendant, suspend, appendage, pensive – péndulo, pendiente, suspender, apéndice, pensativo
phil – fil	love – amor	philanthropist, philosophy – filántropo, filosofía
phob – fob	fear – miedo, temor	claustrophobia, agoraphobia, homophobia, arachnophobia – claustrofobia, agorafobia, homofobia, aracnofobia
phon – fon	sound – sonido	phonograph, telephone, homophone, euphonious, phonetic – fonógrafo, teléfono, homófono, euforia, fonética
photo – foto	light – luz	photographic, photogenic, photosynthesis – fotográfico, fotogénico, fotosíntesis

ROOTS/RAÍCES

physio- fisio	nature – naturaleza	physiological, physiology – fisiológico, fisiología
plac	please, appease – agradar, aplacar	placebo, placid, placate, complacent – placebo, plácido, aplacar, complacer
plen, plete	fill – lleno	complete, replenish, plentiful – completo, repleto, pleno,
pli, plic, plex – pli, flex	fold, bend - doblar	complicate, pliable, multiplication – complicar, , flexible, multiplicable
polis	city – ciudad	metropolis, police, megalopolis, politics, acropolis – metrópolis, policía, megalópolis, política, acrópolis,
pon – pos	place, put – lugar	component, postpone, position, deposit, proponent – componente, posponer, posición, depositar, proponer
popul – pob, pobl	people - gente	population, populous, popular – población, populoso, popular
port	carry - transportar	transport, import, export, support, report, portfolio – transportar, importar, exportar, soporte, reporte, portafolio
prec-i	price – precio	precious, depreciate, appreciate – precio, depreciar, apreciar
prim	first, early – primero, prematuro	primal, primary, primitive – primordial, primario, primitivo
pseudo – seudo	false – falso	pseudonym, pseudoscience – seudónimo (pseudónimo), seudocientífico (pseudocientífico)
psych – psiq	mind – mente	psychiatry, psyche, psychology, psychosis – psiquiatría, psicología, psicosis
pulmo	lung – pulmón	pulmonary – pulmonar
punct – punt, punc	point – punto	punctual, puncture – puntual, punción
quasi – cuasi	like, but not really – casi	quasi-scientific, quasi-official, quasi-war, quasi-corporation – cuasitragedia, cuasiproporcional (cuasi- se antepone a adjetivos y sustantivos para decir que son parecidos a la palabra original sin tener todos los rasgos o características).

ROOTS/RAÍCES		
sanct – sant	holy - santo	sanctuary, sanctimonious, sanction – santuario, santurrón, sanción
scien – cienc, scienc	know, knowledge - conocimiento	science, conscience, omniscient - ciencia, consciente, omnisciente
Scope – scopio	sight - observar	microscope, telescope, kaleidoscope, periscope, stethoscope – microscopio, telescopio, caleidoscopio, periscopio, estetoscopio
scrib, script – scrib	write – escribir	scribe, inscribe, describe, subscribe, manuscript – escribir, inscribir, describir, subscribir, manuscrito
sequ, secu – sec	follow – seguir	consequence, sequence, sequel, consecutive – consecuencia, secuencia, secuela, consecutivo
sol	alone – solo	solstice, solo, solitary, solitude, solitaire – solsticio, solo, solidaridad, soledad, solitario
solv, solut	loosen – liberar	solvent, solve, solution, absolve, resolution, resolute, resolve – solvente, resolver, solución, absolver, resolución
somn	sleep – sueño	somnambulant, somnolent, somniferous – sonámbulo, somnoliento, somnífero
son	sound – sonido	resonance, resonate, sonic, unison – resonancia, resonar, sónico, unísono
spec(t) – espec(t)	look – mirar	spectator, aspect, inspect, speculate, respect, prospect, retrospective– espectador, aspecto, inspector, especular, respecto, prospecto, retrospectiva
spir	breath, breathe – aliento, respirar	respirator, aspire, expire, perspire, conspire – respirador, aspirar, expirar, perspirar, conspirar
string, strict – strict	tighten – de rigor	stringent, astringent, stricture, strict, restriction, constrict – restringente, astringente, constricción, estricto, restricción, constricción
stru, struct	build – construir	construct, instruct, destruction, structure – construir, instruir, destruir, estructura

ROOTS/RAÍCES		
tang, tact, tig – tang, dact	touch - tocar	tangible, intangible, tactile, contact, contiguous – tangible, intangible, táctil, contacto, contiguo
tele	far, far-off - lejos	teleport, television, telephone, telegram, telescope, telephoto, telecast, telepathy – tele puerto, televisión, teléfono, telegrama, telescopio, telefoto, teledifusión, telepatía
tend, tens	hold - retener	contend, pretend, intend, superintendent, tendency, tension – contener, intentar, superintendente, tendencia
terra	earth - tierra	terrarium, territory, terrain, terrestrial, extraterrestrial, terra – terrario, territorio, terreno, terrestre, extraterrestre, tierra
theo	god - dios	theology, atheism, polytheism, monotheism – teología, ateísmo, politeísmo, monoteísmo
tom	cut - cortar	anatomy, atom, appendectomy, dichotomy, – anatomía, átomo, apendectomía, dicotomía
tort	twist - torcer	distortion, torture, distort, contort, torturous – distorsión, tortura, contorsión, tortuoso
tract	draw, drag – sacar, arrastrar	retractable, attract, tractor, subtract, abstract, extract - retractáctil, atracción, tractor, sustraer, abstracto, extracto
vert, vers	turn - convertir	convertible, controversial, invert, versatile, reversible – convertible, invertir, versátil, reversible
vid, vis	see - ver	evidence, providence, video, provide, visual, vista, visit, vision – evidencia, providencia, video, proveer, visual, vista, visita, visión
viv	live - vivir	survivor, vivacious, revive, vivid – sobreviviente, vivaz, revivir, vívido
voc- (voz, voice)	call, speak, voice – voz, hablar	vocabulary, convocation, vocal, vocation – vocabulario, convocación, vocal, vocación,

LATIN AND GREEK NUMBERS NÚMEROS LATINOS Y GRIEGOS		
one – uno	uni	union, unilateral, uniform, university, united – unión, unilateral, uniforme, universidad, unido
	mono	monotheism, monastic, monotone, monologue – monoteísmo, monótono, monólogo
two – dos	du(o)	duplication, duet, duplex – duplicado, dueto, dúplex
	bi	biweekly, bilingual, bicycle, binomial – bisemanal, bilingüe, bicicleta, binomio
three – tres	tri	tricycle, triad, triangle, triceps, triplicate – triciclo, trío, triángulo, tríceps, triplicar
four – cuatro	quad(ri) (ra) cuad	quadruplets, quadruple, quadrangle, quadriceps, quadruped – cuádruples, cuádruplo, cuadrángulo, cuádriceps, cuadrúpedo
	tetra	tetragonal, tetrahedron, tetrameter, tetrapod – tetragonal, tetraedro, tetrámetro, tetrápodo
five – cinco	Quin	quintuplet, quintet – quíntuples, quinteto
	pent(a)	pentameter, pentagon, Pentateuch, pentathlon, Pentecost – pentámetro, pentágono, Pentateuco, pentatlón, Pentecostés
six – seis	sex	sexagenarian, sextuplet, sextet – sexagenario, sextillizos, sexteto
	hex(a)	hexagram , hexagon, hexameter – hexagrama, hexágono, hexámetro
seven – siete	hept(a)	heptahedron, heptameter, heptagon – heptaedro, heptámetro, heptágono

LATIN AND GREEK NUMBERS NÚMEROS LATINOS Y GRIEGOS

eight — ocho	octo	octagon, octogenarian, octave, octet — octágono, octogenario, octavo, octeto
nine — nueve	non	nonagenarian, nonagon — nonagenario, nonágono
ten — diez	dec	decagon, decahedron, decade, decalogue, decameter, decimal — decágono, decaedro, década, decálogo, decámetro, decimal
one hundred — cien	cent	centipede, centimeter, centennial — ciempiés, centímetro, centenario
one thousand — mil	mil-, milli-	milliliter, millimeter, millennium — mililitro, milímetro, milenio

PALABRAS DE TRANSICIÓN

Descripción/ Lista	Secuencia	Comparar/ Contrastar	Causa/Efecto	Problema/ Solución
por ejemplo	inicialmente	sin embargo	porque	
tal como	después	no obstante	desde	
para ilustrar	segundo	pero	por consiguiente	
aparte	tercero	por otro lado	consecuentemente	
y	finalmente	mientras	como consecuencia	
después	primero que nada	aunque	por consecuencia	
por otra parte	ante todo	diferente a	para que	
también	antes	menos que	como resultado	
es más	después	también	entonces	
otro	por último	como	si…entonces	
primero que nada	mientras tanto	tanto como	debido a	
segundo	ahora	todavía	de acuerdo con	
no solo… pero también	subsecuentemente	aun	por tal razón	
mas, sin embargo	luego	similarmente		
		similar a		
		opuesto a		
		por el contrario		
		en contraste		

SITIOS Y RECURSOS EN LÍNEA

RECURSO	SITIO	DIRECCION EN EL WEB
Libros de alumnos y ficheros para maestros de la Secretaría de Educación Pública, SEP	Literacy Squared	www.literacysquared.org
Libros interactivos en español SEP (incluyendo áreas académicas)	Tu primaria en internet	www.pacoelchato.com
Diccionario en español	Real Academia Española	www.rae.es
Sitio bilingüe para familias y docentes	Colorín Colorado	www.colorincolorado.org
Organizadores gráficos con fragmentos	Seidlitz Education	www.seidlitzeducation.com
Sílabas – El Mono Sílabo	YouTube	www.youtube.com
Blog de recursos educativos para el aprendizaje de la lengua	9letras	9letras.wordpress.com/lectoescritura/

ORGANIZADORES GRÁFICOS

Descripción/lista/generalización

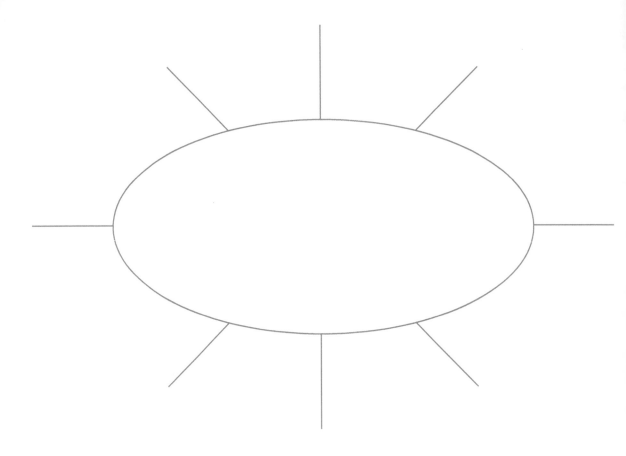

Nuestra gráfica muestra varias características de _____ .

Por ejemplo...

Problema/solución

```
┌─────────────────────────────────────────┐
│                                           │
│              problema                     │
│                                           │
│                                           │
└─────────────────────────────────────────┘
                    │
                    ▼
┌─────────────────────────────────────────┐
│                                           │
│    paso para resolver el problema         │
│                                           │
│                                           │
│                                           │
└─────────────────────────────────────────┘
                    │
                    ▼
┌─────────────────────────────────────────┐
│                                           │
│              solución                     │
│                                           │
│                                           │
└─────────────────────────────────────────┘
```

_____ ocurrió como resultado de…

_____ porque…

_____ debido a…

Diagrama de secuencia

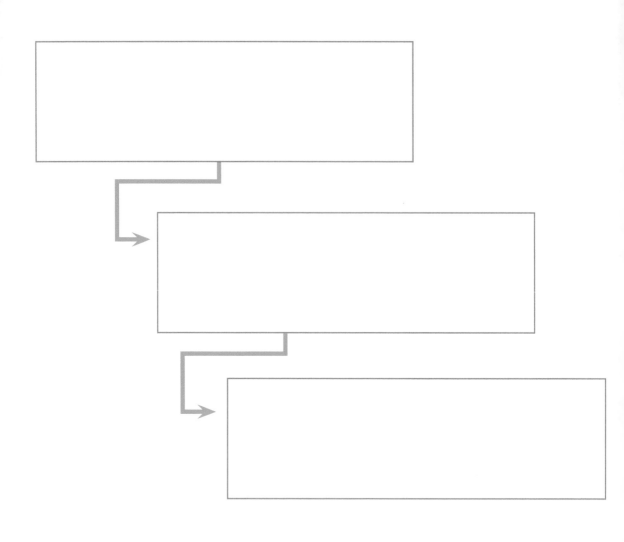

Vemos que _____ ocurre primero. Lo que sucede o pasa después…

Primero _____ , entonces…

Comienza con _____ , después _____ , y finalmente…

Secuencia o ciclo

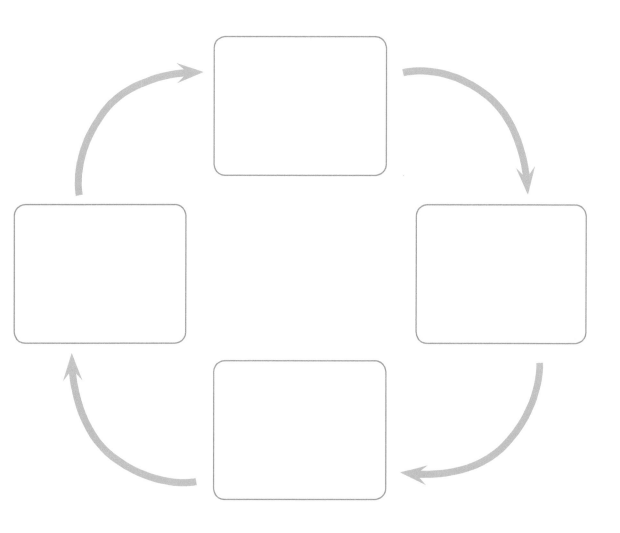

Vemos que _____ ocurre primero. Lo que sucede o pasa después…

Antes de _____

Comienza con _____ , después _____ , y finalmente…

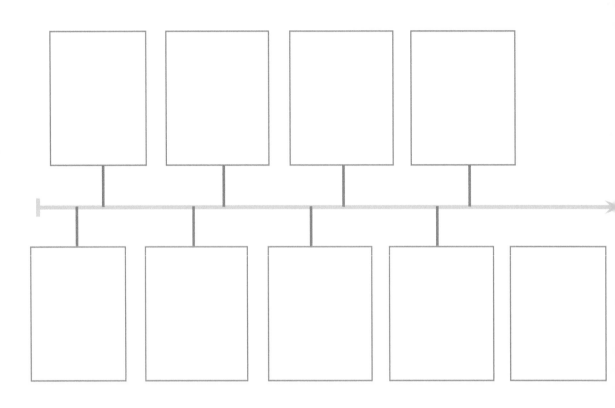

Vemos que _____ ocurre primero. Lo que sucede o pasa después…

Antes de _____

Comienza con _____ , después _____ , y finalmente…

xx

Comparar y contrastar

Diagrama de Venn doble

(El, La, Los, Las, Un, Una) _____ (es/son)

igual-es/diferente-s a (el, la, los, las, un,una) _____ porque…

A diferencia (del, de la, de los, de las, de un, de una) _____ ,

(el, la, los, las, un, una) _____ no tiene(n) _____ .

Diagrama de Venn triple

(El, La, Los, Las, Un, Una) _____ (es/son) igual-es/diferente-s a

(el, la, los, las, un, una) _____ porque…

A diferencia (del, de la, de los, de las, de un, de una) _____ ,

(el, la, los, las, un, una) _____ no tiene(n) _____ .

Comparar o contrastar

Tabla o matriz

(El, La, Los, Las, Un, Una) _____ (es/son) igual-es/diferente-s a

(el, la, los, las, un, una) _____ porque…

A diferencia (del, de la, de los, de las, de un, de una) _____ ,

(el, la, los, las, un, una) _____ no tiene(n) _____ .

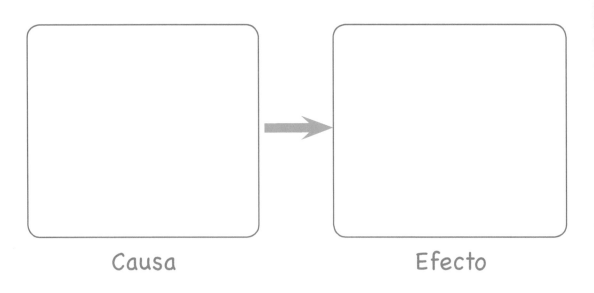

Causa

Efecto

Como resultado de _____ , la consecuencia fue…

La causa de que _____ fue…

Debido a que _____ , entonces…

Como consecuencia de _____ , entonces…

Gráfica de vocabulario

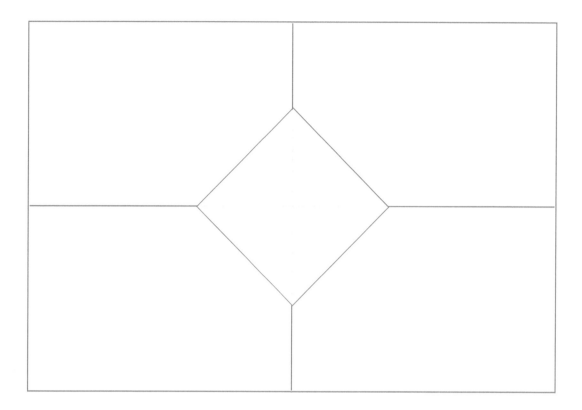

Crea un diagrama para dos palabras de vocabulario (usa ambos lados del papel)

1. Sostén la hoja a lo largo, dóblala por la mitad de izquierda a derecha.

2. Dobla la hoja una vez más de arriba a abajo.

3. Dobla la esquina (que será el centro del diagrama) y forma una lengüeta triangular.

4. Al abrir el papel verás cuatro cuadros con un rombo en el centro (donde se escribe la palabra de vocabulario).

Las cinco preguntas

¿Qué pasó**?**

¿Quién estaba ahí**?**

¿Por qué sucedió el evento**?**

¿Cuándo sucedió**?**

¿En dónde sucedió**?**

Párrafo en tres partes

Primero/Al principio/Inicialmente......

_____

_____

_____

_____

En medio de/A mitad de.....

_____

_____

_____

_____

Finalmente/En conclusión/Para concluir

_____

_____

_____

_____

GUÍA DE TÉRMINOS Y ACTIVIDADES

Los términos y actividades que siguen ofrecen un recurso adicional para los maestros que quieran aumentar el compromiso y rendimiento de los estudiantes en sus aulas. En la lista se incluye una descripción breve de las actividades y las citas para consultar información adicional. Familiarizarse con los términos e implementar las actividades con los estudiantes transformará cualquier aula en un aula rica en lenguaje interactivo.

Actividad de carrusel: En esta actividad, se asignan espacios en el aula a grupos de estudiantes. Cada espacio tiene una serie de preguntas y a los estudiantes se les da un tiempo específico para que las contesten. Los grupos rotan de lugar a lugar hasta que hayan contestado todas las preguntas. Esta actividad promueve la interacción entre estudiantes (Comentarios de CRISS, 1996).

Actividad de lectura y razonamiento dirigidos (Directed Reading-Thinking Activity, DRTA): Durante la lectura, el maestro se detiene con regularidad para hacer que los estudiantes hagan y justifiquen predicciones. Las preguntas podrían ser: ¿Qué piensan que va a ocurrir? ¿Por qué creen que eso va a ocurrir después? ¿Hay alguna otra posibilidad? ¿Qué les hizo pensar eso? (Echevarría, Vogt y Short, 2008).

Adecuaciones lingüísticas: Las maneras de ofrecer acceso al currículo y oportunidades de desarrollar el lenguaje académico del aprendiente de un segundo idioma son: contribuciones comprensibles diferenciación basada en el nivel de competencia en el idioma y andamiaje.

Adivina tu esquina: Esta actividad ofrece una manera de que el estudiante repase o evalúe la comprensión de conceptos clave para el contenido. Para empezar, se ponen por toda el aula términos o conceptos del contenido previamente presentados. Se le da a cada estudiante una característica, imagen atributiva,

sinónimo, etc. para uno de los cuatro términos o conceptos del contenido. Los estudiantes tienen la responsabilidad de adivinar el concepto correcto.

Análisis de palabras: En esta actividad, los estudiantes estudian las partes, los orígenes y las estructuras de palabras con el propósito de mejorar su ortografía (Harrington, 1996).

Análisis e imitación de género: Los estudiantes leen selecciones de alta calidad de un género literario durante esta actividad. Anotan en un diario palabras, frases e ideas particulares que encuentren interesantes o eficaces. Los estudiantes entonces utilizan sus apuntes y observaciones como recurso cuando escriben en ese género (Adaptado de Samway, K., 2006).

Andamiaje: Cuando se proporciona andamiaje, se utilizan ciertas estructuras de apoyo tales como ejemplificar, pensar en voz alta y fragmentos de enunciados para facilitar el aprendizaje. Con el tiempo, se pueden reducir las técnicas de andamiaje para que los estudiantes aprendan más independientemente.

Andamiaje instructivo: Este modelo de enseñanza ayuda a que los estudiantes logren cada vez un mayor nivel de independencia siguiendo el patrón de enseñar, demostrar, practicar y aplicar. (Echevarría, Vogt y Short, 2008).

Andamiaje oral: Es el proceso de enseñar explícitamente el lenguaje académico, ejemplificarlo, ofrecer oportunidades

estructuradas para la expresión oral del lenguaje académico y para la expresión escrita utilizando el lenguaje académico (Adaptado de Gibbons, 2002).

Anotaciones de campo: Las anotaciones de campo son apuntes o reflexiones escritos en diarios cuando se estudia un nuevo contenido. Las anotaciones de campo pueden ser algo escrito o dibujado y deben estar enfocadas en el contenido. Pueden contener lenguaje tanto social como académico (Samway, K., 2006).

Aprender descubriendo: Este es un método de instrucción basado en la investigación en el que los maestros crean problemas y dilemas a través de los cuales los estudiantes desarrollan conocimientos, ideas, hipótesis y explicaciones que continúan siendo revisadas a medida que van aprendiendo (Bruner, J.S., 1967). Algunos han criticado este enfoque en el descubrimiento (Marzano, 2001; Kirschner, P. A., Sweller, J. y Clark, R. E., 2006) porque enseña destrezas a principiantes que no tienen los suficientes estudios preparatorios ni dominio del idioma para poder aprender el nuevo contenido. Los maestros de aprendientes de segundas lenguas deben preocuparse por enseñar previamente el lenguaje funcional del área de contenido y establecer metas y objetivos para las lecciones cuando utilicen el método de descubrimiento.

Apuntes al margen: Esta es una manera de adaptar el texto. Maestros, estudiantes o voluntarios escriben términos clave, traducciones de términos clave, resúmenes cortos en la lengua materna, clarificaciones o pistas al margen para entender un libro de texto (Echevarria, Vogt y Short, 2008).

Apuntes de guía: Apuntes preparados por el maestro o maestra que se utilizan como andamiaje para ayudar a que los estudiantes practiquen las destrezas de tomar apuntes durante conferencias.

Armar rompecabezas matemáticos: En esta actividad, se escribe en un papel una oración numérica o una ecuación. Se corta el papel en partes individuales que se ponen en un sobre. Los estudiantes trabajan en pares para determinar el orden correcto de cada parte y plantear la oración numérica o ecuación original (Creado por Amy King, consultora independiente).

Autoevaluación de los niveles de conocimiento de palabras: Los estudiantes alinean palabras nuevas en la pared de palabras y en otras listas de palabras según su conocimiento de ellas utilizando señas de respuesta total (ver descripción abajo) o fragmentos de enunciados. Las respuestas varían desde no estar familiarizados con la palabra hasta entender la palabra lo suficientemente bien para explicarla a otros (Diamond y Gutlohn, 2006: como se cita en Echevarria, Vogt, Short, 2008).

Ayuda interetnolingüística entre compañeros (Inter-Ethno-linguistic Peer Tutoring, IEPT): Este método basado en investigaciones incrementa la fluidez de los aprendientes de segundas lenguas emparejándolos con compañeros que sí las dominan. Se capacita a los hablantes nativos en tareas altamente estructuradas para que promuevan una amplia interacción con los aprendientes del idioma.

Boleto de salida: Para obtener un "boleto de salida" de la clase, los estudiantes escriben una breve reflexión al final de la lección. La reflexión incluye hechos, detalles, ideas, impresiones, opiniones, información y vocabulario de la unidad que acaban de estudiar. Para ayudar a que los estudiantes empiecen a escribir, se puede ofrecer una sugerencia.

Café de predicciones: Esta actividad es una manera de hacer que los estudiantes participen en pequeñas discusiones acerca de predicciones. Escoja títulos, citas o leyendas importantes de un texto (aproximadamente ocho citas para una clase de 24) y escríbalas en tarjetas. Haga que los estudiantes lean/discutan acerca de lo que crean que pueda tratarse el texto o lo que piensen que ocurrirá en el texto, basándose en la información de la tarjeta. (Nota: Aunque es posible que algunos estudiantes reciban la misma tarjeta, las predicciones variarán). A los estudiantes se les debe dar fragmentos para predicciones con el fin de facilitar el desarrollo del lenguaje académico durante tal actividad. Por ejemplo:" __me hace pensar que..", "Creo que ___ porque…", etc. (Zwiers, J., 2008).

Canciones, poemas, rimas: Los maestros utilizan canciones, poemas y rimas con el propósito de que los estudiantes practiquen en la clase palabras o términos de estudios sociales.

Cartas o editoriales: Para esta actividad, los estudiantes pueden escribir cartas y editoriales desde su propio punto de vista acerca del personaje de una novela, algún personaje histórico o un objeto físico (sol, átomo, rana, etc.). Los maestros de aprendientes de segundos idiomas deberán recordar que necesitan ofrecer andamiaje para el proceso de escritura proporcionándoles fragmentos de oraciones, organizadores gráficos, listas de palabras y otros apoyos. Los recién llegados pueden usar el método de dibujar y escribir (ver explicación arriba).

Charla anticipatoria: Antes de la instrucción, el maestro o la maestra facilita una conversación entre estudiantes acerca del contenido que van a aprender. El maestro o la maestra inicia la discusión haciendo que los estudiantes hagan inferencias acerca de lo que van a aprender basándose en sus conoci-mientos previos, experiencias e infor-mación limitada de los nuevos conceptos (Zwiers, 2008).

Círculos de glosario: Esta actividad está basada en la idea de los círculos literarios (Daniels, 1994). En esta actividad, los estudiantes colaboran mediante el trabajo con un grupo de términos relacionados. Se les da una página de glosario por término, utilizando una plantilla que incluya cuatro cuadros titulados: Enriquecimiento de vocabulario, Ilustración, Conexiones y Preguntas de discusión. Durante el aprendizaje, los estudiantes comparten términos, ilustraciones, definiciones, conexiones y preguntas que se han añadido a la página del glosario.

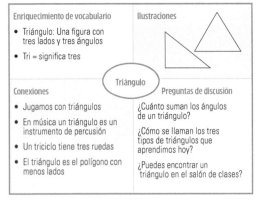

Círculos literarios: En esta actividad, los estudiantes forman grupos pequeños similares a los "clubes de lectores" para discutir literatura. Los roles incluyen: facilitadores de discusión, escogedores de pasajes, ilustradores, conectores, preparadores de resúmenes, enriquecedores de vocabulario, trazadores de viaje, investigadores y buscadores de lenguaje figurado. Los aprendientes de inglés necesitarán el apoyo de fragmentos de oraciones, listas de palabras y textos adaptados según sea necesario, dependiendo de su nivel en el idioma (Schlick, N. y Johnson, N., 1999). Para encontrar apoyo para iniciar círculos literarios,

ver: http://dsusd.k12.ca.us/users/
manuelh/circulosliterarios.htm. Todos
los aprendientes de segundos idiomas se
beneficiarían con esta actividad.

Clasificación de oraciones: Esta
actividad requiere que los estudiantes
clasifiquen varias oraciones según sus
características. El maestro distribuye las
oraciones y los estudiantes las clasifican.
Los estudiantes crean las categorías
de "clasificación abierta"; los maestros
crean las categorías de "clasificación
cerrada". También se pueden tomar
oraciones de algún párrafo en el libro
de texto o de la clase de literatura. Las
categorías posibles incluyen:

• Oraciones descriptivas

• Oraciones complejas

• Oraciones sencillas

• Oraciones conectoras de ideas

• Oraciones que comparan ideas

• Oraciones con ideas opuestas

• Oraciones correctas

• Oraciones incorrectas

• Oraciones en lenguaje formal

• Oraciones en lenguaje informal

Clasificaciones de palabras: Clasificar
palabras según su estructura y
ortografía puede mejorar la ortografía
de los estudiantes (Bear, D. e Invernizzi,
M., 2004).

Clasificaciones matemáticas: Esta
actividad de clasificación requiere que
los estudiantes clasifiquen números,
ecuaciones, figuras geométricas, etc.
de acuerdo con categorías dadas. Por
ejemplo, reparten entre a los estudiantes
veinte tarjetas de sistemas de ecuaciones
lineales y ellos tienen que determinar si
cada sistema pertenece a la categoría de
rectas paralelas, rectas perpendiculares
o a ninguna de las dos.

Clasificar homófonos y homógrafos: El
maestro prepara tarjetas de homófonos,
que contienen palabras que suenan
igual, pero se escriben de diferente
manera, por ejemplo: tubo/tuvo, casa/
caza. Las tarjetas de homógrafos contienen palabras que se escriben de la
misma manera, pero tienen un significado diferente, como por ejemplo: coma
(signo ortográfico) y coma (del verbo
comer). El maestro o maestra les pide a
los estudiantes que pongan en grupos las
palabras que suenan igual o las que se
escriben igual y que después expliquen
el significado de cada una de ellas o den
ejemplos de su uso.

Colección propia de vocabulario: Este es un
método de instrucción de vocabulario
basado en investigaciones que consiste
en que los estudiantes "coleccionen"
palabras para estudiar en la clase.
Cuando los estudiantes comparten sus
listas, indican: dónde se encontraba la
palabra, la definición de la palabra y por
qué la clase debería estudiar esa palabra
en particular (Ruddell, M. y Shearer, B.,
2002).

Combinar e igualar: Esta actividad alienta
a los estudiantes a que interactúen con
compañeros y practiquen la segunda
lengua de manera formal e informal.
Para comenzar, cada estudiante recibe
una tarjeta que contiene información
que concuerda con la de la tarjeta de
otro estudiante. Cuando el maestro dice:
"Combinar", los estudiantes se ponen
de pie y caminan alrededor del salón.
Cuando el maestro dice: "Igualar", los
estudiantes buscan quién tiene la tarjeta
que concuerde con la suya usando sus
fragmentos de enunciados: "Yo tengo
_____. ¿Quién tiene _____?".

Conocimiento de conceptos: Esta estrategia
de Jerome Bruner enseña a que los
maestros ofrezcan a los estudiantes
ejemplos y contraejemplos de los
conceptos. Después los maestros pueden

pedir que los estudiantes categoricen los ejemplos. Con el tiempo, los estudiantes aprenden a categorizar cada vez con mayor entendimiento y profundidad (Boulware, B.J., y Crow, M., 2008; Bruner, J., 1967).

Controversia académica estructurada: Esta es una forma de estructurar la discusión en el aula para promover el pensamiento crítico y entender múltiples perspectivas. Johnson y Johnson (1995) resumen estos cinco pasos:

• Organizar la información y sacar conclusiones

• Presentar posiciones y abogar por ellas

• Dudas creadas debido al reto de opiniones opuestas

• Curiosidad epistémica y toma de perspectiva

• Volver a conceptualizar, sintetizar e integrar

Conversación escrita: Los estudiantes interactúan durante la conversación escrita utilizando un lenguaje y contenido planificado. Para completar esta actividad, los estudiantes trabajan en pares mientras responden a las preguntas y utilizan los fragmentos de enunciados proporcionados por el maestro.

Conversación estructurada: En esta actividad, la interacción de estudiante a estudiante es planificada explícitamente. A los estudiantes se les da marcos de oraciones para empezar la conversación así como también preguntas específicas y fragmentos de enunciados con el propósito de que expongan sus ideas.

Conversación instructiva: Durante esta actividad, los estudiantes participan en conversaciones acerca de literatura con el maestro o con otros estudiantes en grupos pequeños de literatura a través de un diálogo indefinido. Las conversaciones instructivas tienen pocas preguntas con "respuestas conocidas"; por lo tanto promueven un lenguaje y una expresión complejos (Goldenberg, C., 1992).

Copia: estrategia utilizada en diversas situaciones que requiere la reproducción de un párrafo textual de un libro, una frase célebre, una receta de cocina, etc. Esta estrategia es ideal para conservar en la memoria ideas, información o mensajes que pueden perderse (SEP, 1996).

Corrección entre compañeros: Durante esta actividad, los estudiantes revisan mutuamente sus trabajos utilizando una matriz de valoración. Las investigaciones demuestran que los aprendientes de inglés se benefician de corregirse entre compañeros cuando se les capacita en la utilización de las recomendaciones a los compañeros (Berg, C., 1999). También es una buena actividad para los estudiantes bilingües emergentes siempre y cuando hagan la reflexión sobre los aspectos formales del sistema de escritura y cómo estos son iguales o diferentes en inglés o en español.

CQA (Lo que conozco, lo que quiero saber y lo que aprendí): Esta es una estrategia de lectura exploratoria utilizada para activar los conocimientos previos y establecer nuevas experiencias de aprendizaje (Ogle, 1986). Para empezar, el maestro o la maestra crea una tabla en la que los estudiantes contestan tres preguntas: ¿Qué es lo que conoces del tema? ¿Qué es lo que quieres saber? ¿Qué has aprendido? Las primeras dos preguntas se discuten antes de la lectura y la tercera después de la lectura. Al discutir la tercera pregunta, es posible que los estudiantes hayan cambiado de opinión basándose en la información obtenida durante la lectura (Díaz Barriga, F. y Hernández, G., 2010).

Creación de analogías: Este método se utiliza para generar comparaciones utilizando el marco: ____ es a ____ como ___ es a ____ (Marzano, R., Pickering, D. y Pollock, J., 2001).

Creación de mapas conceptuales: Esta es una técnica para hacer un diagrama visual que representa la relación entre conceptos. Los mapas conceptuales se empiezan con un solo concepto clave que se escribe en un cuadro o círculo en el centro de la página. Se hace una lista de los nuevos conceptos y se conectan con líneas y figuras creando una red que muestra la relación entre las ideas (Novak, J.D., 1995).

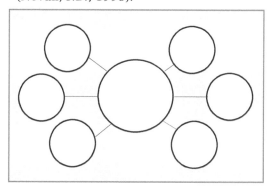

Creación de palabras: Este juego de vocabulario ofrece la oportunidad de que los estudiantes repasen vocabulario clave utilizando palabras de forma creativa. Para empezar, un estudiante elige una palabra y tira un dado que tenga lo siguiente en sus lados: ejemplifícalo, dibújalo, represéntalo, escríbelo, explícalo, etc. Según lo que salga al tirar el dado, el estudiante representa la palabra y los compañeros adivinan cuál es la palabra.

Cuaderno para el estudio de palabras: En esta actividad, los estudiantes organizan palabras en un cuaderno basándose en la ortografía, afijos y raíces (Bear, D. e Invernizzi, M., 2004).

Cuestionar al autor (Question the Author, QtA): Esta es una estrategia para profundizar el nivel de pensamiento acerca de la literatura (Beck, I., McKeown, M., Hamilton, R. y Kugan. L., 1997). En vez de permanecer dentro del campo del texto, el maestro anima a que los estudiantes piensen acerca del propósito del autor. Por ejemplo:

• ¿Qué creen que está tratando de decir el autor?

• ¿Por qué creen que el autor eligió esa palabra o frase?

• ¿Habrían escogido ustedes una palabra o frase diferente?

Dar la vuelta rápidamente (Whip Around): Esta es una manera de lograr que todos los estudiantes participen durante una discusión en clase. Para empezar, el maestro les pide a los estudiantes que escriban una lista con viñetas en respuesta a una pregunta abierta. Los estudiantes escriben sus respuestas a la pregunta y entonces se ponen de pie. El maestro pide que de uno en uno los estudiantes respondan a la pregunta. Si los estudiantes tienen la misma respuesta que el estudiante que está respondiendo, la tachan de sus listas. El maestro continúa pidiendo las respuestas y los estudiantes continúan tachando las respuestas que son similares. Cuando hayan tachado todas sus respuestas, los estudiantes se sientan. La actividad concluye cuando todos los estudiantes están sentados (Fisher, D. y Frey, N., 2007).

Definición de mapa conceptual: Este organizador visual posibilita que los estudiantes procesen un término (Echevarria, Vogt, y Short, 2008). Se hacen cuatro preguntas:
• ¿Cuál es el término?
• ¿Qué es?
• ¿Cómo es?
• ¿Cuáles son algunos ejemplos?

Diario de diálogos: Un diario de diálogos que se intercambian entre el estudiante y el maestro o entre dos o más estudiantes. El diario se enfoca en temas académicos y el lenguaje utilizado por el maestro y el estudiante debe enfocarse en el contenido y el vocabulario académico (Samway, K., 2006).

Diarios de doble anotación: Estos son diarios de dos columnas utilizados para hacer una escritura reflexiva acerca de textos. En una columna, los estudiantes escriben palabras, frases o ideas que encuentren interesantes o significativas mientras leen. En la otra columna, los estudiantes escriben las razones por las cuales ellos las encontraron significativas, o hacen una lista de las formas en que podrían utilizarlas en su propia escritura (Samway, K, 2006).

Dibujar y escribir: Este ejercicio permite que los aprendientes de segundas lenguas expresen sus conocimientos del contenido académico tanto dibujando como escribiendo. Los estudiantes pueden utilizar su lengua materna para expresar ideas, pero se les anima a que expresen los nuevos conceptos en el segundo idioma (Adaptado de: Samway, K., 2006).

Diccionario personal: Para participar en esta actividad, los estudiantes eligen palabras de la pared de palabras, de listas de palabras o de palabras que se encuentran en textos. Las palabras se anotan en tarjetas o en cuadernos que se convierten en diccionarios personales. A los estudiantes se les anima a que dibujen, reflexionen o utilicen su lengua materna cuando escriben las definiciones (Adaptado de Echevarría, Vogt y Short, 2008).

Dictado: la práctica comunicativa de oralizar o leer en voz alta un escrito que los estudiantes tendrán que escribir en una libreta y después corregir enfatizando las estructuras lingüísticas, gramaticales y metalingüísticas de manera interactiva y explícita (Cassany, 2004).

Dividir en partes: Dividir significa separar el material en unidades más pequeñas con el fin de facilitar la comprensión. La información visual y auditiva puede separarse para que los estudiantes tengan tiempo de discutir la nueva información, prestar atención a los detalles y crear un esquema para organizar la nueva información.

Doblar la fila: Para esta actividad, los estudiantes forman una fila según el orden cronológico de una característica predeterminada como por ejemplo la estatura, la edad, el número de mascotas, etc. Entonces se divide la fila en dos, proporcionando un compañero a cada estudiante. Luego se pide que los estudiantes formulen una respuesta a una tarea o pregunta. Dependiendo de la tarea o pregunta, los estudiantes usan un lenguaje formal o informal para responder a los compañeros (Kagan, 1992).

Dos veces la misma escena: Los estudiantes realizan una dramatización de personas que discuten un cierto tema. La primera vez, las personas son novatos que utilizan lenguaje informal para discutir el tema. La segunda vez, son expertos que discuten el tema utilizando terminología académica correcta en el segundo idioma (adaptado de Wilhelm, J., 2002).

Ejemplos de preguntas para la participación (Paso 6):
Esta es una estrategia para hacer preguntas que prepara a los estudiantes para que usen tres fragmentos con el fin de fomentar la participación durante la discusión (Seiditz y Perryman, 2008).

- ¿Por qué crees que …?
- ¿Hay otro …?
- Dime más sobre …
- Palabra: Los maestros trabajan en la selección de palabras con estudiantes que todavía no saben pronunciarlas.
- Ejemplificar: Los maestros ejemplifican algo para anticipar la producción.
- Ampliar: Los maestros amplían el lenguaje escrito o hablado de los estudiantes emergentes en el discurso de aula.
- Pronunciar: Los maestros ayudan con la pronunciación a los estudiantes que tienen un nivel de fluidez intermedio y avanzado.

Elección de palabras: Durante esta actividad, los estudiantes eligen palabras de una pared de palabras o de una lista de palabras para utilizarlas en una conversación o al escribir.

Emisor/ocasión/destinatario/propósito/tema/tono (Speaker/Occasion/ Audience/Purpose/Subject/Tone, SOAPST): Esta estrategia de escritura AP (de colocación avanzada) requiere que los estudiantes se dirijan al emisor, a la ocasión, al destinatario, al tema o al tono utilizando estilos de escritura narrativos, persuasivos o analíticos (Wilson, T., 2009).

En busca (ReQuest): Esta es una variación de la enseñanza recíproca (ver la descripción antes indicada). El maestro hace preguntas utilizando fragmentos de enunciados particulares después de un periodo de lectura en silencio (ver descripción a continuación). Durante el siguiente periodo de lectura en silencio, el maestro proporciona fragmentos a los estudiantes para que ellos los utilicen al responder al texto (Manzo, A., 1969: como se cita en Fisher, D. y Frey, N., 2007).

Enfoque cognitivo académico de aprendizaje de lenguas (Cognitive Academic Language Learning Approach. CALLA): Este enfoque de enseñanza para aprendientes de inglés requiere de la instrucción explícita de estrategias para el aprendizaje de la lengua, del contenido académico y de las destrezas de lenguaje a través del andamiaje, la participación activa en el aprendizaje y el uso del idioma (Charmot, A. y O'Malley, J., 1994).

Enfoque comunicativo para la pronunciación (Communicative Cognitive Approach to Pronunciation, CCAP): Este proceso de cinco pasos ayuda a que los aprendientes de inglés mejoren sus habilidades de pronunciación (Celce-Murcia, M., Brinton, D. y Goodwin, J., 1996 como se cita en Flores, M., 1998). Los pasos son los siguientes:

- Descripción y análisis de las características de pronunciación
- Actividades de discriminación auditiva (ver práctica de silabeo en esta guía)
- Práctica controlada y explicación
- Práctica guiada y explicación
- Práctica comunicativa

Ensayo previo (pre-test) con un compañero: En parejas, a los estudiantes se les da un ensayo previo o pre-test. Los estudiantes se turnan para leer las preguntas y después de cada pregunta tratan de llegar a un consenso sobre las respuestas. Esta actividad prepara a los estudiantes para una prueba en una unidad de estudio (Echevarria, J. y Vogt, M., 2008).

Enseñanza de gramática contextualizada: Enseñar gramática en mini-lecciones que tienen conexión con el contexto de una lección demuestra tareas específicas significativas que los estudiantes pueden usar al escribir o hablar. El propósito de la enseñanza de gramática es permitir que los estudiantes se comuniquen verbalmente y escriban con mayor eficacia (Weaver, 1996).

Enseñanza directa de afijos: Durante esta actividad, los estudiantes desarrollan su conocimiento de la estructura de las palabras en un segundo idioma aprendiendo prefijos y sufijos.

Enseñanza directa de cognados: Estas lecciones incluyen palabras que suenan igual en la primera lengua y en la lengua meta. Para una lista de cognados en español e inglés, ver: http://www.colorin-colorado.org/pdfs/articles/cognates.pdf

Los estudiantes deben tener cuidado con los falsos cognados, palabras que suenan igual en la primera lengua y en la lengua meta, pero que no tienen el mismo significado.

Enseñanza directa de raíces: Estas lecciones enseñan la raíces latinas y griegas que forman la base de muchas palabras en inglés y en español.

Enseñanza recíproca: La enseñanza recíproca requiere que un estudiante líder guíe a la clase durante las siguientes estrategias de aprendizaje: resumir, generar preguntas, aclarar y predecir. Esta interacción de estudiante a estudiante implica la colaboración para hallar el significado de los textos. Palincsar y Brown (1985), Hill y Flynn (2006) sugieren adaptar la enseñanza recíproca para utilizarla con los aprendientes de inglés distribuyendo vocabulario, demostrando el uso del lenguaje y utilizando representaciones pictóricas durante la discusión. Es una actividad beneficiosa para los aprendientes de segundas lenguas.

Enumera las cabezas (Number Heads Together): Esta estrategia da la oportunidad de que todos los estudiantes, en grupos pequeños, participen con toda la clase. A cada estudiante de un grupo se le asigna un número (1, 2, 3 y 4). Al hacer preguntas, el maestro pedirá que todos los número Uno hablen primero y después abre la discusión al resto de la clase. Para la siguiente pregunta, el maestro pedirá que los números Dos hablen, luego los número Tres y finalmente los Cuatro. El maestro también puede indicar de forma aleatoria qué números y en qué orden hablarán. Cuando se juegue "Enumera las cabezas" con aprendientes de inglés, los maestros deberán proporcionarles a los estudiantes fragmentos de enunciados (Kagan, 1995).

Escritura espontánea: Los estudiantes expresan ideas, determinan el contenido, la extensión y la forma de los textos que escriben al expresarse libremente sin ningún tipo de restricción (SEP, 1996).

Escritura de grafiti: En grupos pequeños, se pide que los estudiantes hagan simultáneamente una lista de palabras académicas relacionadas con un concepto en particular, dentro de un corto periodo de tiempo.

Escritura libre: Durante la escritura libre, los estudiantes escriben de cinco a diez minutos sin parar acerca de un tema. El objetivo es que sigan escribiendo, aunque no se les ocurran nuevas ideas. Pueden escribir: "No sé qué escribir", si no pueden pensar en algo que escribir. Los aprendientes de inglés pueden hacer bosquejos y escribir en su lengua materna aunque se les debe animar a que escriban en inglés (Elbow, P., 1998) Writing with Power, Oxford University Press, 1981, 1998). También puede utilizarse con todo aprendiente de segundas lenguas.

Escritura rápida: Se les pide a los estudiantes que respondan por escrito a un concepto específico del contenido dentro de un corto periodo de tiempo.

Esquemas: Este método tradicional de tomar apuntes hace uso de numeración romana, numeración arábiga y letras mayúsculas y minúsculas.

Estrategias de comprensión: Las estrategias de comprensión ayudan a que los lectores competentes entiendan lo que leen. Estas estrategias pueden utilizarse para diferentes tipos de texto y cuando se enseñan, lo más probable es que los estudiantes las utilicen. Las estrategias incluyen: predecir, cuestionarse, monitorear, tomar apuntes, determinar la importancia y resumir (Echevarría, Vogt, y Short, 2008; Dole, Duffy, Roehler y Pearson, 1991; Baker, 2004).

Estrategias para tomar apuntes: Los estudiantes aprenden estrategias para organizar la información presentada en conferencias y en textos durante la toma de apuntes. Los aprendientes de segundas lenguas, en las etapas iniciales del desarrollo de la lengua, se benefician de los apuntes de guía (ver descripción previa), listas de palabras en la lengua materna, resúmenes y oportunidades de clarificar conceptos con compañeros. Las estrategias incluyen esquemas informales, redes de conceptos, Método Cornell para tomar apuntes y una combinación de apuntes (ver descripciones previas). Las investigaciones indican que los estudiantes deberían escribir más, en vez de menos, al tomar apuntes (Marzano, R., Pickering, D. y Pollock, J., 2001). Los aprendientes de inglés en las fases anteriores a la producción pueden responder a los apuntes del maestro mediante gestos. Aquellos en las fases iniciales de producción y en las fases emergentes del habla pueden comunicarse utilizando los marcos de oraciones proporcionados por los maestros (Hill, J. y Flynn, K, 2006).

Experimentos/Laboratorios: Esta es una forma de aprendizaje de ciencias mediante el descubrimiento en la que los estudiantes encuentran directamente el proceso científico: haciendo una observación, formando una hipótesis, probando la hipótesis y llegando a una conclusión. Los maestros de aprendientes de segundas lenguas necesitan asegurarse de enseñar previamente el contenido y el vocabulario funcional necesarios para posibilitar la total participación de estos estudiantes.

Expertos/Novatos: Esta es una simulación en la que participan dos estudiantes. Un estudiante toma el rol de experto y el otro de novato en una situación particular. El experto responde a las preguntas que le hace el novato. El procedimiento puede utilizarse en actividades de un nivel cognitivo más bajo, tal como hacer que los estudiantes se presenten, hasta actividades de nivel más alto, como explicar con mayor detalle y profundidad conceptos del área de contenido. El procedimiento también puede utilizarse para ejemplificar la diferencia entre lenguaje formal e informal, dado que el experto habla formalmente y el novato informalmente (Seidlitz y Perrryman, 2008).

Fila de conga: Durante esta actividad, los estudiantes forman dos filas frente a frente. Los estudiantes de cada fila comparten ideas, repasan conceptos o se hacen preguntas. Después de la primera discusión, una fila se mueve y la otra permanece en su lugar con el fin de que cada estudiante pueda conversar con un nuevo compañero (Echevarría y Vogt, 2008).

Filtro afectivo: Es la barrera emocional en la adquisición de una lengua ocasionada por la percepción o reacción negativa al entorno.

Fragmentos de enunciados: Se proporcionan enunciados incompletos para ofrecer andamiaje en el desarrollo de estructuras específicas de la lengua y para facilitar el acceso a la conversación y a la escritura. Por ejemplo, "En mi opinión…" o "Una característica de los anélidos es…".

Fragmentos de preguntas: A los estudiantes se les da una serie de fragmentos de preguntas que varían desde el nivel más básico hasta el nivel más alto de la Taxonomía de Bloom para que de esta manera participen en las discusiones acerca de algún tema. Por ejemplo:

- "¿Qué es…?"
- "¿Cómo…?"
- "¿Cuál sería un mejor enfoque para…?"
- "¿Cómo sabes que…?" (Echevarría y Vogt, 2008)

Fragmentos de respuestas en tres niveles: En esta actividad se hace una sola pregunta, pero permite que los estudiantes elijan de una variedad de fragmentos para elaborar la respuesta. Al responder, los estudiantes pueden usar un fragmento de enunciado según su nivel de conocimiento y dominio del idioma (Seidlitz y Perryman, 2008).

Fragmentos generales: Son oraciones incompletas que proveen andamiaje para el desarrollo de las estructuras del idioma con el fin de ofrecer la oportunidad de que los estudiantes conversen y escriban en cualquier contexto académico.

Fragmentos para un contenido específico: En esta actividad, se proporciona a los estudiantes fragmentos de enunciados con vocabulario específico. Por ejemplo, en vez de un fragmento general

como "Pienso que…", un fragmento de contenido específico sería "Pienso que la Declaración de la Independencia es significativa porque…".

Frases y fragmentos puestos a la vista: Los fragmentos de enunciados puestos claramente a la vista en el aula ofrecen a los estudiantes un acceso fácil al lenguaje funcional durante las tareas de escritura. Por ejemplo, durante un laboratorio, el maestro podría poner los siguientes fragmentos de enunciados: "¿Cómo anoto….?", "¿Puede ayudarme a juntar/mezclar/medir/identificar/hacer una lista….?", "¿Puede explicar lo que quiere decir con …?". Los fragmentos de enunciados deben ponerse en el segundo idioma, pero también pueden escribirse en la lengua materna.

Generar palabras: En esta actividad, los estudiantes crean una lluvia de ideas sobre palabras que tienen raíces particulares. Los maestros entonces hacen que los estudiantes predigan el significado de las palabras basándose en las raíces (Echevarría, Vogt y Short, 2008).

Gestos manuales para indicar palabras conectoras: Los gestos que representan palabras o señales de transición ayudan a que los estudiantes modelen visualmente la función de las palabras conectoras en una oración. Por ejemplo, los estudiantes podrían juntar las manos para términos como: también, incluso, así como, etc. Para términos tales como: excluyendo, tampoco, sin, ya no, etc., los estudiantes podrían separar las manos. Los estudiantes pueden inventar sus propias señas para distintas categorías que incluyen: comparar, contrastar, causa y efecto, secuencia, descripción y énfasis (Adaptado de: Zwiers, 2008).

Gráfica de clave, información y ejemplo para la memoria (Key, Information, Memory Cue Chart, KIM): Este organizador gráfico permite que los estudiantes organicen lo que están aprendiendo, lo que han aprendido o lo que necesitan repasar. En la sección C (Clave) del organizador, los estudiantes anotan los puntos clave que les están enseñando o que han aprendido. En la sección I (Información), los estudiantes hacen una lista de la información importante que apoya estos puntos. Y en la sección M (ejemplo para la Memoria), los estudiantes crean una representación visual como resumen de lo que han aprendido (Castillo, 2007).

Guardar, borrar, sustituir, elegir: Los estudiantes aprenden una estrategia para resumir desarrollada por Brown, Campoine y Day (1981) como se discute en Classroom Instruction That Works (Marzano, R, Pickering, D. y Pollock, J., 2001). Cuando se utiliza esta estrategia, los estudiantes guardan información importante, borran material innecesario y redundante, sustituyen términos generales por términos específicos (por ejemplo: pájaros por petirrojos o cuervos, etc.) y eligen o crean una oración temática. Para los aprendientes de inglés, Hill y Flynn (2006) recomiendan utilizar gestos para representar cada fase del proceso y explicar la diferencia entre términos muy frecuentes y términos poco frecuentes.

Guía ortográfica personal: Los estudiantes anotan en tarjetas la forma correcta de las palabras de sus escritos que tienen faltas de ortografía. A medida que crece el número de tarjetas, los estudiantes pueden clasificar las palabras según las características de cada palabra. Por ejemplo, los estudiantes pueden generar categorías tales como: contracciones, palabras bisílabas, trisílabas, con diptongos, triptongos, las que tienden a pronunciarse mal, palabras que nunca han utilizado, etc. Estimule a los estudiantes para que busquen patrones ortográficos cuando crean sus listas. Para evaluar el conocimiento ortográfico, los estudiantes pueden elegir un número de palabras seleccionadas por ellos mismos y hacer que un compañero les ayude a repasarlas oralmente.

Guías anticipatorias: Una serie estructurada de enunciados que se da a los estudiantes antes de la instrucción. Los estudiantes eligen estar o no de acuerdo con los enunciados, ya sea individualmente o en grupos. Después de la instrucción, los estudiantes vuelven a revisar los enunciados para discutir si han cambiado de parecer acerca de ellos. Lo recientemente aprendido con frecuencia puede informar y hacer cambiar de opinión a los estudiantes (Head, M. H. y Readence, J., 1986).

Guión para sonidos: Esta es una manera de que los estudiantes marquen el texto para mostrar pausas y énfasis. Los estudiantes escriben un párrafo, ponen una señal de separación de párrafo para mostrar pausas y usan mayúsculas y letras en negritas para mostrar el énfasis en las palabras (Powell, M., 1996).

Improvisación durante la lectura en voz alta: Durante este ejercicio, los estudiantes representan una historia en silencio mientras el maestro u otro estudiante lee en voz alta. Cada estudiante tiene un papel y tiene que improvisar la parte mientras la historia está siendo leída. Después, los estudiantes discuten la técnica e ideas que ellos utilizaron para representar su parte durante la improvisación (Zwiers, 2008).

Inquirir palabras, demostrar, ampliar y pronunciar (Word, Model, Expand, and Sound Questioning, WMES Questioning): Este es un método de instrucción diferenciadora desarrollado por Hill y Flynn (2006). El recurso mnemotécnico indica "Palabra (Word), Ejemplificar (Model), Ampliar (Expand) y Pronunciar (Sound)".

Investigación de escenas históricas (History Scene Investigation, HSI): El maestro o la maestra presenta la imagen tapada de una escena histórica.
Se va destapando lentamente la imagen mientras los estudiantes hacen y anotan observaciones y predicciones. Esta actividad puede ser utilizada como el comienzo de una discusión para una actividad de preescritura (Seidlitz y Perryman, 2008).

Juego con tarjetas de representaciones múltiples: Esta actividad es una variación del juego de tarjetas Spoons. Según el número de tarjetas, los estudiantes juegan en grupos de 3-5. El objetivo del juego es ser el primer jugador que obtenga todas las representaciones de un concepto de matemáticas particular.

Juego de ¡Basta!: En este juego tradicional, los estudiantes dividen una hoja de papel en varias columnas con categorías predeterminadas: nombre, apellido, animal, flor o fruto, ciudad, cosa. Un estudiante dice el abecedario mentalmente y otro le dice "¡Basta!". El estudiante indica en qué letra iba y todos comienzan a llenar cada casilla en su hoja con palabras que comiencen con la letra indicada. Por ejemplo, si la letra es S, las palabras pueden ser: Samuel, Sánchez, sapo, sandía, Santiago, sopa. El primero que rellene las columnas correctamente grita "¡Basta!" Se continúa jugando varias veces siendo el ganador de cada ronda al que le toca decir la próxima letra del abecedario. Se puede poner a los estudiantes en pares para ayudar a los que no tienen gran agilidad con el idioma.

Juego de palabras: En esta actividad, los estudiantes manipulan palabras a través de varios juegos de palabras diseñados

para mejorar la comprensión. Johnson, Von Hoff Johnson y Shlicting (2004) dividen los juegos de palabras en ocho categorías: onomásticas (relativo a los nombres), expresiones, figuras retóricas, asociaciones de palabras, formación de palabras, manejo de palabras, juegos de palabras y ambigüedades.

Lenguaje académico: El lenguaje académico es un vocabulario especializado. Su estructura tiende a ser más abstracta, compleja y exigente, y se encuentra con alta frecuencia en el discurso oral y escrito del aula.

Lenguaje oral diario: Durante una mini-lección de cinco minutos, los estudiantes ven una lista de oraciones con uso incorrecto del inglés. Los estudiantes aprenden el uso correcto corrigiendo los errores de las oraciones (Vail, N. y Papenfuss, J., 1993). Es muy útil también en la enseñanza de segundas lenguas.

Lectoescritura: Para saber leer y escribir, los estudiantes deben tener la capacidad de utilizar y procesar con un filtro afectivo específico materiales impresos y escritos.

Lectura focalizada (Scanning): Los estudiantes comienzan buscando términos desconocidos de un texto sin prestar atención a la totalidad de la información. El maestro entonces ofrece una definición breve de los términos, dando solamente el significado de la palabra según aparece en el contexto. Marzano, Pickering y Pollock (2001) expresan que "aun la instrucción superficial de palabras aumenta enormemente la probabilidad de que los estudiantes aprendan las palabras desde el contexto cuando las encuentren durante la lectura", y que "los resultados de la instrucción de vocabulario son aún más poderosos cuando las palabras seleccionadas son aquellas que con mayor probabilidad encuentren los estudiantes cuando aprendan un nuevo contenido".

Lectura focalizada rápida: Los estudiantes echan un vistazo a un texto informativo, observando brevemente los títulos, ilustraciones, leyendas, palabras claves y otras características antes de leer un libro. Después de haberlo hojeado, los estudiantes discuten lo que creen que van a aprender del texto (Echevarría y Vogt, 2008).

Leer con un compañero: Esta estrategia para procesar textos requiere que dos estudiantes lean el mismo texto. Durante la lectura, los lectores se alternan para leer los párrafos, permitiendo que un estudiante resuma mientras el otro lee y viceversa (Johnson, D., 1995).

Leer, escribir, compartir: Esta estrategia estimula a los estudiantes a compartir lo que han escrito y sus ideas durante las interacciones. Los estudiantes leen un texto, escriben lo que piensan utilizando fragmentos de enunciados, comparten lo que han escrito. También se les puede ofrecer sugerencias a los estudiantes para que comenten acerca de lo que otros han escrito (Fisher, D. y Frey, N., 2007).

Leer lo que se encuentra en nuestro entorno (Environmental Print): Es lo que encontramos en letreros, rótulos, productos, tablones de anuncios y carteles. Los estudiantes ven este tipo de texto en establecimientos formales e informales.

Lenguaje social: Este es un lenguaje informal que los estudiantes utilizan en sus relaciones con compañeros, amigos y en familia.

Listas de palabras enfatizadas: Los estudiantes toman un párrafo escrito y resaltan las palabras que enfatizarían, enfocándose en resaltar las del contenido en el segundo idioma como por ejemplo: sustantivos, verbos, adverbios en lugar de palabras de proceso tales como artículos, preposiciones, verbos copulativos, modales y auxiliares.

Listas, grupos, títulos: Se da a los estudiantes una lista de palabras o los estudiantes generan una lista de palabras mediante una lluvia de ideas a medida que participan en poniéndolas en listas, agrupándolas y colocándolas bajo un título. Clasifican las palabras de estas listas en pilas similares y crean nombres para cada pila. Esto se puede hacer según temas (planetas, estrellas, leyes científicas, etc.) o según el tipo de palabra (aquellas que comienzan con una letra en particular, aquellas con un sufijo particular o aquellas que están en un tiempo particular) (Taba, Hilda, 1967).

Literatura relacionada: La literatura relacionada son textos que vinculan y apoyan el área de contenido de una materia. Estos textos pueden ser de ficción o no ficción, en la lengua materna o en la lengua meta (Echevarría, J. y Vogt, M., Short. D., 2008).

Lluvia de ideas en la lengua materna: Este método permite que los estudiantes piensen y hagan una lista de ideas relacionadas con un concepto en su lengua materna.

Marcos de lectoescritura visuales: Este es un método para mejorar la lectoescritura visual que se enfoca en los aspectos afectivos, compositivos y críticos para procesar la información visual (Callow, J., 2008).

Marcos de oraciones: Las oraciones incompletas dan la oportunidad de ofrecer andamiaje para el desarrollo de las estructuras de la lengua que ayudan a que los estudiantes desarrollen el lenguaje académico.

Marcos de resúmenes: Este método ayuda a que los estudiantes estructuren resúmenes de textos de áreas de contenido. Los marcos hacen preguntas específicas que ayudan a que los estudiantes resuman diferentes tipos de texto. Marzano (2001), Flynn y Hill (2006) discuten siete marcos:

• marco narrativo

• marco de temas limitados

• marco ilustrativo

• marco de definición

• marco de argumentación

• marco de solución del problema

• marco de conversación

Marcos para comparar, contrastar, establecer analogías, metáforas y símiles: Estos marcos de oraciones ayudan a que los estudiantes organicen esquemas para las nuevas palabras (Marzano, 2001; Hill, J. y Flynn, K., 2006).

Por ejemplo:

• Comparar: ___ es similar a ___ en que ambos ....

• Contrastar: ___ es diferente a ___ en que ...

• Analogía: ___ es a ___ como ___ es a ___

• Metáfora: Pienso que _____ es.....

• Símil: Creo que ___ es como/semejante a ___ porque...

Marcos para párrafos: Los párrafos incompletos proporcionan andamiaje para el desarrollo de la lengua ofreciendo oportunidades de desarrollar la escritura académica y las destrezas de comunicación.

Mesa Redonda: Esta es una técnica de aprendizaje en colaboración en la que se distribuye a grupos pequeños un papel que tiene una categoría, un término o una tarea. Se pasa el papel entre los de la mesa y cada miembro del grupo tiene la responsabilidad de escribir una característica, un sinónimo, un paso o una tarea que represente la categoría, el término o la tarea (Kagan, 1992).

Método Cornell para tomar apuntes: Los estudiantes utilizan este método de tomar apuntes en el que se divide un papel en dos columnas desiguales. En la columna más grande, los estudiantes toman apuntes tradicionales de manera modificada en forma de esquema. En la columna más pequeña, los estudiantes escriben términos de vocabulario y preguntas (Paulk, Walter, 2000).

Método de insertar: En esta actividad, los estudiantes leen el texto con un compañero y marcan los textos con el siguiente sistema de codificación:

• un visto bueno ✔ para mostrar un concepto o hecho que ya conocen,

• un signo de interrogación ? para mostrar un concepto que les resulta confuso,

• un signo de admiración ! para mostrar algo nuevo o sorpresivo, o un signo de más para mostrar una nueva idea o un nuevo concepto (Echavarría y Vogt, 2008).

Método para la solución de problemas Polya: Este es un modelo para resolver problemas matemáticos.

• Paso 1: Entender el problema

• Paso 2: Configurar un plan

• Paso 3: Ejecutar el plan

• Paso 4: Examinar la solución

Narración de cuentos: En esta actividad, los estudiantes dan versiones narrativas en su idioma materno.

Narrativa en primera persona: Cuando los escritores usan su propio punto de vista, escriben en primera persona. Al escribir en primera persona, los escritores utilizan la forma de "yo".

Nivel de competencia en el idioma: Ésta es una medida de la habilidad del estudiante al escuchar, hablar, leer y escribir en el segundo idioma.

Nivel del lector: Aunque los libros de lectura se publican para distintos niveles de lectura, éstos pueden tener el mismo enfoque de contenido y objetivo. A modo de ejemplo, se pueden, ver los libros de National Geographic en español.

Oraciones cloze o de rellenar el espacio: Las oraciones con espacios en blanco para llenar ayudan a que los estudiantes procesen los textos académicos (Taylor, 1953; Gibbons, 2002).

Oraciones resaltadas: Los estudiantes utilizan lápices de colores para resaltar en textos la causa y el efecto, pensamientos opuestos, palabras conectoras y otras características de las oraciones. Esta estrategia ayuda a que los estudiantes entiendan la relación entre oraciones (Zwiers, J., 2008).

Orden direccional: En esta actividad, los estudiantes clasifican textos en varios idiomas según la dirección percibida. ¿Está el texto escrito de arriba hacia abajo, luego de izquierda a derecha? ¿Está el texto de derecha a izquierda, luego de arriba hacia abajo?

Organizador gráfico de representaciones múltiples (Multiple Representations Graphic Organizer, MRGO): Esta es una herramienta instructiva utilizada para ilustrar una situación algebraica en múltiples representaciones que podrían incluir: dibujos, gráficas, tablas, ecuaciones o descripciones verbales (Echevarría, Short y Vogt, 2009).

Organizadores anticipados: La información dada antes de la lectura o de la instrucción ayuda a que los estudiantes organicen la información que van a encontrar durante la instrucción (Mayer, 2003). Los organizadores anticipados deben activar el conocimiento previo y ayudar a organizar la nueva información. Los ejemplos incluyen: organizadores gráficos, guías anticipatorias, CQA, apuntes de guía, etc. (Díaz Barriga, F. y Hernández, G., 2010).

Organizadores gráficos: Los organizadores gráficos son una forma de representación no lingüística que pueden ayudar a que los estudiantes procesen y retengan nueva información. Ofrecen al aprendiente una manera de desarrollar un esquema organizando visualmente la información. Entre los ejemplos se incluyen la tabla T, el diagrama de Venn, mapas conceptuales, redes conceptuales, líneas de tiempo, etc. (Marzano, R., Pickering, D. y Pollock, J., 2001; Diaz Barriga, F. y Hernandez, G., 2010).

Ortografía: Característica del sistema de escritura que corresponde a la cuestión visual y al significado (SEP, 1996).

Palabra clave, información, dibujo (Keyword, Information, Drawing, KID): En esta actividad, los estudiantes anotan una palabra, información importante sobre la palabra y después un dibujo de la palabra.

Libertad	Tener la posibilidad de elegir
Yo soy libre de practicar mi religión.	

Palabras ladrillo: Las palabras ladrillo conforman el vocabulario específico para el contenido (Dutro, S. y Moran, C., 2003).

Palabras mortero: Las palabras mortero son palabras académicas que en general se pueden encontrar en libros de texto, pruebas y conversaciones de todas las materias. Las palabras mortero mantienen la unidad del lenguaje académico (por ejemplo: palabras o términos técnicos específicos) en una oración. Incluyen palabras transicionales: porque, sin embargo, etc. También incluyen palabras que requieren cierto orden: primero, segundo, etc. De igual manera, incluyen palabras de lenguaje específico usadas en los exámenes: representa mejor, según la información, etc. Las palabras mortero con frecuencia son abstractas y no tienen una definición clara, por eso la mejor manera de que los estudiantes aprendan estas palabras es usándolas. Las palabras mortero permiten que los estudiantes formulen estructuras complejas y formales al comunicarse.

Palabras que señalan: Las palabras que funcionan como señales determinan un patrón del texto, tal como de generalización, causa y efecto, proceso, secuencia, etc.

Paredes de palabras: Las paredes de palabras son una colección de palabras fijadas en una pared del aula que se utilizan para mejorar la lectoescritura. No sólo se convierten en maestros silenciosos que recuerdan a los estudiantes las palabras estudiadas en la clase, sino que también ofrecen oportunidades de tener momentos de lenguaje siempre que sea posible. Las paredes de palabras se pueden organizar según el tema, la pronunciación o la ortografía. El contenido de las paredes de palabras deberá cambiarse a medida que se completen las unidades de estudio (Eyraud et. al., 2000).

Pares formales e informales: El maestro o la maestra escribe un enunciado en dos tiras de papel; uno con un lenguaje formal y el otro con un lenguaje informal. El maestro o maestra reparte una tira a cada estudiante. Los estudiantes tienen que encontrar en la clase el enunciado que concuerde con el suyo.

Pensar en voz alta: Pensar en voz alta permite que los maestros provean andamiaje para el pensamiento cognitivo y metacognitivo al verbalizar el proceso de pensamiento (Bauman, Jones y Seifert-Kessell, 1993).

Pensar, trabajar en parejas, compartir: Este método alienta la interacción de estudiante a estudiante. El maestro hace una pregunta y luego da tiempo de espera. Los estudiantes entonces encuentran un compañero para comparar sus respuestas. Después, los estudiantes seleccionados comparten sus pensamientos con toda la clase (Lyman, 1981).

PERSIAG: Este acrónimo se utiliza para analizar las características de una sociedad. Los elementos que se incluyen son: políticos, económicos, religiosos, sociales, intelectuales, artísticos y de geografía cercana. Esta estructura

ayuda a que los estudiantes organicen sus pensamientos acerca de la historia, geografía, economía y sociología de un país o de una región.

Práctica de silabeo: Estas actividades auditivas/discriminativas ayudan a que los estudiantes estén atentos y practiquen la pronunciación en sílabas individuales. Existen varias maneras de hacerles participar en la práctica de silabeo y de ortografía.

Práctica por grupo de segmentos: Esta actividad implica la práctica de la pronunciación de palabras de varias sílabas. Algunas técnicas incluyen: comparaciones de contenido o la función de las palabras.

Preguntar, gesticular, usar fragmentos, compartir, evaluar: Esta estrategia ayuda a que los estudiantes utilicen un lenguaje académico nuevo durante interacciones de estudiante a estudiante. El maestro o la maestra hace una pregunta y luego les pide a los estudiantes que muestren con un gesto cuando estén listos para compartir su respuesta con otro estudiante. Para responder, los estudiantes deben usar un fragmento de enunciado particular proporcionado por el maestro. Entonces se evalúa oralmente o por escrito a los estudiantes (Seidlitz, J. y Perryman B., 2008).

Preguntas en tres niveles: En esta actividad, hay varios tipos de preguntas para los estudiantes que están basadas en los niveles individuales de desarrollo del idioma (Hill & Flynn, 2006).

Preguntas necesarias para la conversación: Ponga el siguiente cartel en su salón:

Qué responder en lugar de "No sé"

¿Me podría dar más información?

¿Me podría dar tiempo para pensar?

¿Podría pedirle ayuda a un compañero(a)?

¿Dónde podría encontrar información al respecto?

Ejemplifique la forma en que los estudiantes pueden utilizar las preguntas del cartel cuando no estén seguros de qué decir cuando el maestro o la maestra les pida que contesten (Seidlitz y Perryman, 2008). Los estudiantes deben saber que no tienen que decir, "No sé". En su lugar, pueden pedir mas información, más tiempo para pensar, que se repita la pregunta, un lugar donde puedan encontrar mayor información o la ayuda de un amigo. Los aprendientes de inglés recién llegados no deben ser presionados para que hablen en frente de la clase si todavía no han empezado a demostrar los primeros niveles de producción oral o de competencia comunicativa. Se debe animar a los estudiantes, pero no forzarlos a que hablen cuando se encuentren en el periodo silencioso de adquisición de la lengua (Krashen, 1982). Krashen se refiere a los aprendientes de inglés, pero creemos que esto se aplica también a los aprendientes de segundas lenguas.

Programa de lectura ininterrumpida en silencio (Sustained, Silent Reading Program, SSR): Este programa alienta a que los estudiantes lean libros de su elección durante un periodo de lectura en silencio de 15-20 minutos por día. Pilgreen (2000) define las ocho características de los programas de lectura en silencio de gran calidad como: el acceso a libros, libros interesantes, un entorno que propicie a la lectura, el estímulo a la lectura, tiempo determinado para la lectura, capacitación del personal y actividades de seguimiento (Pilgreen, 2000).

Programa radial de entrevistas: Los estudiantes crean un programa radial de entrevistas acerca de un tema particular. Esta puede ser una buena oportunidad para que los estudiantes practiquen el uso del lenguaje académico cuando asumen el rol de experto. Asimismo ofrece la oportunidad de que los estudiantes identifiquen las diferencias entre el uso del inglés formal e informal mientras desempeñan distintos roles (Wilhelm, J., 2002). Es una actividad beneficiosa para todos los aprendientes de segundas lenguas.

Programas de concurso de vocabulario: Utilizar juegos de concursos como *Jeopardy, Pictionary,* y *Who Wants to be a Millionaire?,* etc. permite que los estudiantes tengan oportunidad de practicar el vocabulario académico.

Redacción basada en la perspectiva: Esta actividad requiere que los estudiantes escriban desde un punto de vista asignado utilizando un lenguaje académico específico. Por ejemplo, los estudiantes en una clase de estudios sociales podrían escribir desde la perspectiva de Martin Luther King, Jr., explicando a un colega su participación en el boicot a los autobuses de Montgomery. Como parte de esta actividad, a los estudiantes se les da palabras y frases específicas para que las integren en su tarea de escritura. Los estudiantes también pueden escribir

desde el punto de vista de objetos inanimados tales como rocas, agua, moléculas, etc. y describir procesos desde una perspectiva imaginativa. Además, los estudiantes pueden tomar el rol de experto dentro de un campo: matemáticas, ciencias, estudios sociales o literatura y usar el lenguaje de esa disciplina para escribir acerca de un tema en particular. Los estudios de género pueden ser particularmente útiles para preparar a los estudiantes para las actividades de redacción basada en la perspectiva (Seidlitz y Perryman, 2008).

Reestructurar: Para esta actividad, se repite correctamente el enunciado incorrecto de un aprendiente de un segundo idioma. No se cambia el significado ni el entorno de bajo riesgo. Hay que asegurarse de que el aprendiente se sienta cómodo durante la interacción. Las reestructuras han demostrado tener un impacto positivo en la adquisición de un segundo idioma (Leeman, J., 2003).

Registros de lectura interactiva: Los registros de lectura son utilizados por los estudiantes durante la lectura en silencio con el fin de reflexionar sobre el texto. Estos registros se pueden intercambiar con otros estudiantes o con la maestra y pueden ser preguntas, comentarios o respuestas. Estos registros son componentes ideales de un programa de lectura en silencio ininterrumpida.

Registros y diarios de conocimientos: En registros o en diarios de contenido, los estudiantes pueden anotar observaciones y preguntas acerca de lo que están aprendiendo en una

materia en particular. El maestro puede ofrecer fragmentos de enunciados generales o específicos para ayudar a que los estudiantes reflexionen sobre lo aprendido (Samway, K., 2006).

Relación entre preguntas y respuestas (Question Answer Relationship, QAR): Esta es una manera de enseñar a que los estudiantes analicen la naturaleza de las preguntas que se hacen sobre un texto. Las preguntas se dividen en cuatro categorías (Echevarria, J., y Vogt ,M., 2008):

• Allí mismo (se encuentran en el texto)

• Piensa y busca (requiere pensar sobre las relaciones entre las ideas en el texto)

• El autor y yo (requiere hacer inferencias sobre el texto)

• Por mí mismo (requiere reflexión sobre la experiencia y el conocimiento)

Repaso con tarjetas: Para participar en este ejercicio, los estudiantes crean tarjetas que incluyen definiciones e ilustraciones de palabras. Los estudiantes pueden estudiar, jugar a juegos y clasificar las tarjetas de varias maneras.

Representaciones no lingüísticas: No lingüístico quiere decir la representación de conocimientos que incluye ilustraciones, organizadores gráficos, modelos físicos y actividades cinéticas. Marzano, R., Pickering, D. y Pollock, J, (2001) y Hill, J. y Flynn, K., (2006) defienden integrar la Respuesta Física Total (Asher J., 1967) con representaciones no lingüísticas que capten el interés de los aprendientes en las etapas iniciales del desarrollo de la segunda lengua.

Reseñas de libros: Los estudiantes leen y examinan reseñas de libros. Después de sumergirse en el género de reseñas de libros, los aprendientes de inglés escriben breves reseñas que pueden publicarse para que otros las lean (Samway, K., 2006).

Esta actividad también se puede aplicar con los aprendientes de segundos idiomas, no sólo con los aprendientes de inglés.

Respuesta Física Total (Total Physical Response, TPR): Esta es una manera de enseñar en la que se utilizan gestos y movimientos para hacer que el contenido sea comprensible para los aprendientes de inglés recién llegados (Asher, J., 1967). También es un excelente método de enseñanza para los que empiezan a aprender un segundo idioma.

Respuestas de grupo en pizarras blancas: Durante esta actividad, los estudiantes escriben respuestas a preguntas en pizarras blancas utilizando rotuladores especiales para estas. Las pizarras pueden hacerse con tarjetas insertadas en cubiertas para informes o con tablas de melanina blanca cortadas en cuadrados que quepan en los pupitres de los estudiantes. Las pizarras blancas son una forma de señal de respuesta activa que ha demostrado ser altamente eficaz para mejorar el rendimiento de los estudiantes que están teniendo dificultades en aprender.

Resumen oral estructurado: Este es un repaso oral en el que participan dos estudiantes utilizando fragmentos de oraciones. A los estudiantes se les proporciona fragmentos tales como: "Hoy me di cuenta de que…", "Ahora sé....” y “Lo más significativo que aprendí fue ....”. Se pone en parejas a los estudiantes para que discutan lo que han aprendido en una lección o unidad (Adaptado de Zwiers, 2008).

Rol/público/formato/tema (Role/Audience/Format/Topic, RAFT): Esta estrategia de escritura para Estudios Sociales posibilita que los estudiantes escriban desde varios puntos de vista (Fisher, D. y Frey, N., 2004). El rol es la perspectiva que toman los estudiantes; el público, las personas a quienes se dirige el autor; el formato es el tipo de escritura que se llevará a cabo y el tema es la materia.

Ropa sucia: Esta actividad de vocabulario ayuda a que los estudiantes amplíen su conocimiento de los nuevos términos o palabras aprendidos. Los estudiantes reciben una palabra del vocabulario o un concepto del contenido y el contorno de una camiseta de papel. A un lado de la camiseta, los estudiantes escriben un mensaje acerca de su palabra asignada, sin usar la palabra. Al revés de la camiseta, los estudiantes hacen un dibujo que represente la palabra o término. El propósito de esta actividad es hacer que otros estudiantes de la clase adivinen la palabra descrita en la camiseta. Las camisetas se pueden exhibir en las paredes del aula o se las puede colgar usando pinzas de ropa (Creada por Cristina Ferrari, Brownsville ISD).

Salón de charla: En esta actividad de escritura, los estudiantes utilizan lenguaje informal y formal para describir términos y conceptos. A cada estudiante se le da un papel con el bosquejo de una pantalla de computadora y un término o concepto.

En la pantalla, los estudiantes describen el término o concepto escribiendo un mensaje de texto con lenguaje informal. Luego los estudiantes intercambian con un compañero las pantallas de computadoras. Los compañeros vuelven a escribir el mensaje de texto utilizando lenguaje formal.

Salpicar palabras: Elija palabras clave del vocabulario o de palabras relacionadas con un concepto y escríbalas para que los estudiantes las vean. Dígales a los estudiantes que usted escribió las palabras sin un orden en particular (esto se denomina salpicar). Haga que los estudiantes comiencen a categorizar las palabras en un orden lógico. Pida a los estudiantes que elijan las palabras de una categoría para utilizarlas en un párrafo escrito y entonces pídales que lo compartan oralmente con la clase.

Sculptorades: Basado en uno de los retos del tablero del juego Cranium, esta estrategia requiere que cada estudiante use plastilina para representar un concepto, objeto, organismo o proceso. A los estudiantes se les puede asignar una categoría general o darles un vocabulario específico de términos para que demuestren. Todos los estudiantes deben moldear al mismo tiempo, preferentemente detrás de carpetas. De uno en uno, cada estudiante revela su escultura y los otros miembros del grupo tratan de determinar lo que representa la escultura.

Seis pasos para procesar vocabulario: Este proceso basado en investigaciones, desarrollado por Marzano (2004), ayuda a que los maestros cumplan diferentes pasos para que el estudiante desarrolle el vocabulario académico. Los pasos son: El maestro da una descripción de una palabra o de un término de vocabulario. Los estudiantes repiten la descripción con sus propias palabras y crean una representación no lingüística de la palabra o término. Los estudiantes periódicamente realizan actividades que les ayudan a añadir palabras o términos de vocabulario a sus conocimientos. Regularmente, se les pide a los estudiantes que discutan entre sí los términos. Asimismo, periódicamente los estudiantes participan en a juegos que les permiten "jugar" con los términos.

Señaladores de ideas: Para esta actividad, los estudiantes utilizan papeles del tamaño de señaladores para tomar apuntes reflexivos sobre los libros que están leyendo. Los señaladores incluyen citas, observaciones y palabras que al lector le parecen interesantes o eficaces. Los señaladores pueden dividirse en cajas para seguir añadiendo más citas y números de páginas (Davies, K., 2006).

Señas de respuesta total (también llamadas señas activas de respuesta): Las señas de respuesta total, tales como indicar con el pulgar que todo va bien/mal, tablones blancos y tarjetas de respuestas pueden ser utilizadas por los estudiantes para responder a preguntas. Las señas de respuesta demuestran instantáneamente los niveles de comprensión.

Soporte visual: Se utilizan ilustraciones, organizadores gráficos, objetos manipulables, modelos y objetos del mundo real a fin de que los aprendientes de segundos idiomas puedan comprender el contenido.

SQP2RS (Squeepers): Esta estrategia de lectura en el aula enseña a los estudiantes el uso de estrategias cognitivas/metacognitivas para procesar textos de no ficción. Consiste en los siguientes pasos (Echevarria, Vogt, Short, 2008):

- Examinar: Los estudiantes dan un vistazo a las imágenes, títulos y otras características del texto.
- Preguntar: Los estudiantes hacen una lista de preguntas que ellos podrían contestar al leer.
- Predecir: Los estudiantes escriben predicciones acerca de lo que van a aprender.
- Leer: Los estudiantes leen el texto.
- Responder: Los estudiantes vuelven a ver sus preguntas y piensan detenidamente en las respuestas a la lectura.

Tabla T, emparejar, defender: En una tabla T, los estudiantes escriben las pruebas que apoyan dos puntos de vista opuestos. En parejas, los estudiantes se turnan para dar razones desde cada punto de vista.

Tablas para entrevistas: Las tablas para entrevistas ayudan a que los estudiantes anoten las respuestas de otros estudiantes acerca de varias preguntas que expresan: hechos, opiniones, perspectivas, análisis, sugerencias e hipótesis. Para participar en esta actividad, los estudiantes entrevistan a compañeros de la clase, quienes responden a su lista de preguntas (Zwiers, 2008). Por ejemplo:

Taller de fluidez: En tríadas, los estudiantes se turnan para escuchar y hablar entre ellos acerca de un mismo tema. Cada estudiante tiene un turno para hablar, mientras los otros escuchan. Mientras escuchan, los estudiantes pueden hacer preguntas, pero no pueden dar opiniones acerca de lo que dice el emisor. Después de la actividad, los estudiantes evalúan de nivel de fluidez para ver cómo han mejorado su nivel desde el inicio hasta el fin del taller (Maurice, K., 1983).

Tarjetas de ladrillo y mortero: A los estudiantes se les reparte tarjetas "ladrillo" con vocabulario académico (términos del área de contenido) y se les pide que las organicen de manera que tengan sentido. Después, tienen que enlazar las tarjetas utilizando palabras "mortero". Las palabras mortero vinculan el lenguaje. Es posible que los estudiantes necesiten listas de fragmentos de enunciados y palabras conectoras para facilitar el proceso (Zwiers, 2008).

Tarjetas para clasificar: En esta actividad, a los estudiantes se les da un grupo de tarjetas con imágenes o con palabras y se les pide que las ordenen en categorías. Los ejemplos de categorías se parecen a lo siguiente: seres vivos frente a no vivientes, estados de la materia, tipos de energía, etc. Mientras los estudiantes clasifican las tarjetas, hacen preguntas a los miembros de su grupo como las que siguen:

- ¿Qué muestra esta imagen?

- ¿Qué categoría sería buena para esta tarjeta?

- ¿Cómo podemos estar seguros de que estas tarjetas se relacionan?

- ¿Qué regla estamos utilizando para categorizar esta tarjeta?

Tarjetas para iniciar discusiones: A los estudiantes se les reparte pequeñas tarjetas que contienen fragmentos de enunciados para que las utilicen al iniciar una conversación académica o cuando estén buscando maneras de ampliar una conversación. Por ejemplo: "En mi opinión…", "Yo pienso que…", "Otra posibilidad es …", etc. (Thornberry, 2005).

Texto adaptado: Las adaptaciones de textos ayudan a que los estudiantes que no dominan el idioma comprendan el lenguaje académico. Algunos métodos incluyen: organizadores gráficos, esquemas, textos resaltados, textos grabados, notas al margen, textos en la lengua materna, glosarios en la lengua materna y listas de palabras (Echevarría, Vogt y Short, 2008).

Textos en la lengua materna: Se pueden utilizar traducciones en la lengua materna, resúmenes de capítulos, listas de palabras, glosarios o literatura relacionada para entender textos en las clases de áreas de contenido. Muchas compañías de libros de texto incluyen recursos en español con la adopción de sus libros de texto.

Texto grabado: Se pueden utilizar grabaciones de textos como una forma de adaptación de textos para los aprendientes de inglés (Echevarria, Vogt y Short, 2008) o de cualquier segundo idioma.

Tríadas de respuestas del lector/escritor/ emisor: Esta es una forma de procesar el texto colaborando en grupos. Para empezar, los estudiantes forman grupos de tres. Un estudiante lee el texto en voz alta; otro escribe las reacciones o

respuestas a las preguntas sobre el texto y un tercero informa las respuestas al grupo. Después de informar al grupo, los estudiantes cambian de rol (Echevarria J. y Vogt M., 2007).

Un círculo dentro de otro: Los estudiantes forman dos círculos concéntricos en los que ellos están cara a cara, un círculo de adentro y otro de afuera. Los estudiantes entonces pueden participar con su compañero en breves discusiones guiadas o repasos guiados. Después de la discusión, el círculo de afuera rota una persona hacia la derecha mientras que los estudiantes del círculo de adentro permanecen en su lugar. De esta manera todos los estudiantes tienen un nuevo compañero. Este ejercicio facilita las conversaciones entre estudiantes (Kagan, 1990).

Unidad de estudio para los aprendientes de inglés: Este enfoque modificado de talleres para escritores es recomendado por Davies (2006). Los pasos consisten en:

- reunir ejemplos de un género que sean de alta calidad
- inmersión en libros
- examinar cuidadosamente entre los libros que los estudiantes pueden trabajar y aquellos que no pueden
- inmersión repetitiva/segunda lectura de los libros
- imitar técnicas de escritura que se encuentren en escritos publicados
- escribir y publicar
- reflexionar y evaluar

Ver en parejas: Cuando ven un videoclip o una película, a cada par de estudiantes se le asigna un rol. Por ejemplo, un compañero puede ser el responsable de identificar fechas claves, mientras el otro es responsable de hacer una lista de los personajes importantes y sus acciones (Kagan, S., 1992). Esta estrategia mantiene interesados y enfocados a los estudiantes mientras procesan la información.

Vocabulario animado: Los estudiantes memorizan el vocabulario clave de una lección empleando gestos para cada término. Los gestos pueden ser asignados por el maestro o por los estudiantes. Una vez que se determinan los gestos, se presenta cada término y su gesto diciendo: "La palabra es _____ y se parece a esto _____." (Creado por Cristina Ferrari, Brownsville ISD).

Vocabulario en cuatro esquinas: Esta es una manera de procesar el vocabulario utilizando un papel o una tarjeta divididos en cuatro secciones: término, definición, oración e ilustración (Desarrollado por D. Short, Center for Applied Linguistics. Descrito en: Echevarria y Vogt, 2008).

Volver a expresar: Durante esta actividad, los estudiantes vuelven a contar un texto narrativo o resumen con sus propias palabras en un texto expositivo.

ÍNDICE DE ACTIVIDADES

BIBLIOGRAFÍA

Asher, J. (1969). The Total Physical Response Approach to Second Language Learning. *The Modern Language* Journal. 53 (1).

August, D., Calderón, M., & Carlo, M. (2002). Transfer of skills from Spanish to English: A study of young learners. Washington, DC: *Center for Applied Linguistics*, 24, 148-158.

Beck, I. L., McKeown, M. G., & Kucan, L. (2013). *Bringing words to life: Robust vocabulary instruction.* Guilford Press.

Bialystok, E. (2016). Bilingual education for young children: review of the effects and consequences. *International Journal of Bilingual Education and Bilingualism*, 1-14.

Cassany, D. (2004). El dictado como tarea comunicativa. Tabula rasa, 002, 229-250.

Celic, C., & Seltzer, K. (2011). Translanguaging: A CUNY-NYSIEB guide for educators. CUNY-NYSIEB. New York.

Conceptos básicos para comprender las reglas de acentuación https://www.uv.mx/personal/lenunez/files/2013/06/Acentuacion.pdf, Retrieved from the www, March 29, 2017.

Díaz Barriga & Hernández (2010). Estrategias docentes para un aprendizaje significativo: Una interpretación constructivista. McGraw Hill: México, D. F.

Dutro, S., & Moran, C. (2003). Rethinking English language instruction: An architectural approach. *English learners: Reaching the highest level of English literacy,* 227, 258.

Escamilla, K., Hopewell, S., Butvilofsky, S., Sparrow, W., Soltero-González, L., Ruiz-Figueroa, O., & Escamilla, M. (2014). *Biliteracy from the start: Literacy squared in action.* Philadelphia, PA: Caslon Publishing.

Ferreiro, E. (1998). *Alfabetizacion, teoría y práctica*. México, D. F.: Siglo Veintiuno Editores.

Ferreiro, E., & Teberosky, A. (1991). *Los sistemas de escritura en el desarrollo del niño*. siglo xxi.

García, O., & Kleifgen, J. A. (2010). *Educating emergent bilinguals: Policies, programs, and practices for English language learners.* Teachers College Press.

Graves, M. F. (2006). Building a comprehensive vocabulary program. *New England Reading Association Journal,* 42(2), 1.

Grosjean, F. (2010). *Bilingual.* Harvard University Press.

Krashen, S. (1982). *Principles and Practices in Second Language Acquisition.* New York, NY: Pergamon.

Krashen, S. D., & Terrell, T. D. (1983). The natural approach: Language acquisition in the classroom.

Lara, M. (2010). T*he structure of an early reading test in grade 1: In search of a relationship with reading in Spanish.* The University of Texas at San Antonio.

Macon, J. M., Bewell, D,. & Vogt, M. (1991). Responses to Literature. Newark, DE: IRA.

Marzano, R. J. (2004). Building background knowledge for academic achievement: Research on what works in schools. Alexandria: VA:ASCD.

Marzano, R. J. (2009). The art and science of teaching: Six steps to better vocabulary instruction. *Educational leadership,* 67(1), 83-84.

Nagy, W. (2007). Metalinguistic awareness and the vocabulary-comprehension connection. *Vocabulary acquisition: Implications for reading comprehension,* 52-77.

Poplack, S. (1980). Sometimes I'll start a sentence in Spanish Y TERMINO EN ESPAÑOL: toward a typology of code-switching1. *Linguistics*, 18(7-8), 581-618.

Quezada, C. *Acentos en Castellano* http://profesores.fi-b.unam.mx/cintia/Ortografia.pdf, Retrieved from the www March 29, 2017

Rogers, M. L. (2016). The Use of Reflective Practices in Applying Strategies Learned Through Professional Development in Social Studies Instruction.

Scotton, C. M. (2006). *Multiple voices: An introduction to bilingualism.* Blackwell Pub.

http://gramaticacomosedice.blogspot.com/2013/10/comistes-vistes-quisistes-estuvistes-comiste.html, retrieved from the www, March 30, 2017.

Secretaría de Educación Pública (1995). Fichero de actividades didácticas Español Tercer Grado (D. G. Normal, Ed.) México, D.F., México: Subsecretaría de Educación Básica y Normal, SEP.

Secretaría de Educación Pública (1995). Fichero de actividades didácticas Matemáticas Cuarto Grado (D. G. Normal, Ed.) México, D.F., México: Subsecretaría de Educación Básica y Normal, SEP.

Secretaría de Educación Pública (2010). Libro del estudiante Ciencias Naturales. México, D.F., México: Subsecretaría de Educación Básica y Normal, SEP.

Seidlitz, J. & Perryman, B. (2011). Seven Steps to a Language Rich Interactive Classroom: Research-Based Strategies for Engaging All Students. San Clemente, CA: Canter Press.

Sibold, C. (2011). Building English language learners' academic vocabulary: strategies & tips. *Multicultural Education*, 18(2), 24.

Signorini, A. (1998). La conciencia fonológica y la lectura. Teoría e investigación acerca de una relación compleja. *Lectura y vida*, 19(3), 15-22.

WIDA Consortium. (2012). Normas de desarrollo lingüístico del español.

Wright, W. E. (2015). *Foundations for teaching English language learners: Research, theory, policy, and practice.* Caslon Pub.

Zwiers, J. (2013). *Building academic language: Essential practices for content classrooms*, grades 5-12. John Wiley & Sons.

Mónica Lara

Trabaja como Consultora Educativa de Seidlitz Education. Con más de 25 años de experiencia como docente, Mónica ha desarrollado infinidad de talleres para maestros y maestras al igual que ha creado recursos para mejorar aulas bilingües/duales con el fin de desarrollar la oralidad y la lectoescritura en inglés y en español. Su trabajo incluye apoyar a docentes bilingües para que impulsen a que aprendientes de inglés desarrollen su máximo potencial.

Mónica es autora y coautora de varias publicaciones tales como *ELLs in Texas: What Administrators Need to Know* y *ELLs in Texas: What Teachers Need to Know.*

Su experiencia de trabajo incluye: docente de primaria y secundaria, administradora escolar y líder de numerosas iniciativas relacionadas con dislexia, lectura y educación bilingüe e inglés como segunda lengua, ESL en el estado de Texas. Posee una licenciatura en Educación y sus estudios de posgrado incluyen una Maestría en Lectura y un Doctorado en Lenguaje, Alfabetización Bilingüe y Cultura.

SEIDLITZ EDUCATION BOOK ORDER FORM

Three ways to order

- **FAX** completed order form with payment information to **(949) 200-4384**
- **PHONE** order information to **(210) 315-7119**
- **ORDER ONLINE** at **www.seidlitzeducation.com**

  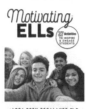   

TITLE	PRICE	QTY	TOTAL$
NEW! 7 Steps To a Language-Rich, Interactive **Foreign Language Classroom**	$32.95		
NEW! Boosting Achievement: Reaching Students with Interrupted or Minimal Education	$26.95		
NEW! Motivating ELLs: 27 Activities to Inspire & Engage Students	$26.95		
NEW! Pathways to Greatness for ELL Newcomers: A Comprehensive Guide for Schools & Teachers	$32.95		
NEW! Sheltered Instruction in Texas: Second Language Acquisition Methods for Teachers of ELs	$29.95		
NEW! Talk Read Talk Write: A Practical Routine for Learning in All Content Areas K-12 2ND EDITION	$32.95		
NEW! Teaching Social Studies to ELLs	$24.95		
NEW! Teaching Science to English Learners	$24.95		
NEW! ¡Toma la Palabra! SPANISH	$32.95		
NEW! Mi Cuaderno de Dictado SPANISH	$7.95		
7 Steps to a Language-Rich Interactive Classroom	$29.95		
COLUMN 1 TOTAL $			

TITLE	PRICE	QTY	TOTAL$
7 Pasos para crear un aula interactiva y rica en lenguaje SPANISH	$29.95		
38 Great Academic Language Builders	$24.95		
Diverse Learner Flip Book	$26.95		
ELLs in Texas: What Teachers Need to Know 2ND EDITION	$34.95		
ELLs in Texas: What Administrators Need to Know 2ND EDITION	$29.95		
ELPS Flip Book	$19.95		
Navigating the ELPS: Using the Standards to Improve Instruction for English Learners	$24.95		
Navigating the ELPS: Math (2nd Edition)	$29.95		
Navigating the ELPS: Science	$29.95		
Navigating the ELPS: Social Studies	$29.95		
Navigating the ELPS: Language Arts and Reading	$34.95		
RTI for ELLs Fold-Out	$16.95		
Vocabulary Now! 44 Strategies All Teachers Can Use	$29.95		
COLUMN 2 TOTAL $			

COLUMN 1+2	$
DISCOUNT	$
SHIPPING	$
TAX	$
TOTAL	$

Pricing, specifications, and availability subject to change without notice.

SHIPPING 9% of order total, minimum $14.95
5-7 business days to ship. If needed sooner please call for rates.

TAX EXEMPT? please fax a copy of your certificate along with order.

NAME

SHIPPING ADDRESS   CITY   STATE, ZIP

PHONE NUMBER   EMAIL ADDRESS

TO ORDER BY FAX to **(949) 200-4384** please complete credit card info *or* attach purchase order

☐ Visa ☐ MasterCard ☐ Discover ☐ AMEX

CARD #   EXPIRES
                                          mm/yyyy
SIGNATURE   CVV
                                          3- or 4- digit code

☐ **Purchase Order attached**
please make P.O. out to **Seidlitz Education**

For information about Seidlitz Education products and professional development, please contact us at

(210) 315-7119 | kathy@johnseidlitz.com
56 Via Regalo, San Clemente, CA 92673
www.seidlitzeducation.com

Giving kids the gift of **academic language.**™

REV061419

Three ways to order

- **FAX** completed order form with payment information to **(949) 200-4384**
- **PHONE** order information to **(210) 315-7119**
- **ORDER ONLINE** at **www.seidlitzeducation.com**

Pricing, specifications, and availability subject to change without notice.

TITLE	Price	QTY	TOTAL $
NEW! *Instead Of I Don't Know* Poster For the LOTE Classrom 24" x 36"			
☐ LOTE FRENCH	$9.95		
☐ LOTE SPANISH	$9.95		
☐ LOTE GERMAN	$9.95		
		TOTAL $	

TITLE	Price	QTY	TOTAL $
Instead Of I Don't Know Poster, 24" x 36"			
☐ Elementary ENGLISH	$9.95		
☐ Secondary ENGLISH	$9.95		
20 pack *Instead Of I Don't Know* Posters, 11" x 17"			
☐ Elementary ENGLISH	$40.00		
☐ Secondary ENGLISH	$40.00		
Instead Of I Don't Know Poster, 24" x 36" Elementary SPANISH	$9.95		
20 pack *Instead Of I Don't Know* Posters, 11" x 17" Elementary SPANISH	$40.00		
		TOTAL $	

TITLE	Price	QTY	TOTAL $
Academic Language Cards and Activity Booklet, ENGLISH	$19.95		
Academic Language Cards, SPANISH	$9.95		
		TOTAL $	

TITLE	Price	QTY	TOTAL $
Please Speak In Complete Sentences Poster 24" x 36"			
☐ ENGLISH ☐ SPANISH	$9.95		
20 pack *Please Speak In Complete Sentences* Posters, 11" x 17"			
☐ ENGLISH ☐ SPANISH	$40.00		
		TOTAL $	

SHIPPING 9% of order total, minimum $14.95
5-7 business days to ship.
If needed sooner please call for rates.

TAX EXEMPT? please fax a copy of your certificate along with order.

GRAND TOTAL	$
DISCOUNT	$
SHIPPING	$
TAX	$
FINAL TOTAL	**$**

NAME

SHIPPING ADDRESS   CITY   STATE, ZIP

PHONE NUMBER   EMAIL ADDRESS

TO ORDER BY FAX to **(949) 200-4384** please complete credit card info *or* attach purchase order

☐ Visa ☐ MasterCard ☐ Discover ☐ AMEX

CARD #   EXPIRES

mm/yyyy

SIGNATURE   CVV

☐ **Purchase Order**

please make P.O. out to **Seidlitz Education**